Doris Dörrie

»Was wollen Sie von mir?«

Erzählungen
Mit Fotos von
Helge Weindler

Diogenes

Die Erstausgabe erschien 1989
im Diogenes Verlag
Umschlagillustration: Edward Gorey,
›The Abduction of Elsie Thrudd
on August the 6th, 1907‹

Für meinen Mann

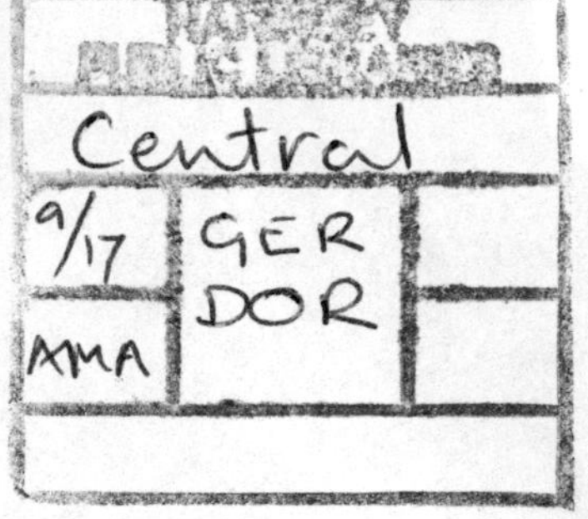

Veröffentlicht als Diogenes Taschenbuch, 1990

www.diogenes.ch
3/16/62/10
ISBN 978 3 257 21916 6

Inhalt

»Ein Mann!«

Seit in einer Zeitschrift stand, daß die Chancen, von einer Atombombe getroffen zu werden, größer sind, als als Frau über dreißig in New York einen Mann zu finden, sehe ich Panik in den Gesichtern meiner amerikanischen Freundinnen. Die Wahrscheinlichkeit, heutzutage von einer Atombombe getroffen zu werden, ist doch ziemlich hoch, versuche ich sie zu beruhigen, dann kann es mit den Männern auch nicht so schlimm sein. Ja, in Europa vielleicht, erwidern sie, aber doch nicht hier in Amerika. Da ich dreiunddreißig bin, seit fünf Jahren in New York lebe und nicht vorhabe, wegen der größeren Bombenbedrohung und der damit anscheinend statistisch besseren Chancen, sich einen Mann zu angeln, nach Deutschland zurückzukehren, fange auch ich an, mir ernsthaft Gedanken zu machen.

Vor drei Jahren habe ich mich von Johannes getrennt. Ihm fehlte in Amerika zunehmend deutsches Bier und Labskaus – er nannte es »Kultur« – und er ging zurück nach Hamburg. Seit diesem blöden Artikel denke ich oft an ihn. Er hat in Deutschland als Modefotograf Karriere gemacht. Nach unserer Trennung bin ich manchmal ins ›Bremenhaus‹ in der 86. Straße gegangen und habe die Modefotos in den deutschen Frauenzeitschriften durchgeblättert, glühend vor Eifersucht habe ich in den Blicken der Mannequins ihre Flirts mit ihrem Fotografen, mit Johannes, entdeckt. Heute finde ich seinen winzig kleingedruckten Namen unter der neuen Badekollektion in der ›Brigitte‹. Die Mannequins sehen eher gelangweilt aus. Nein, es war doch kein Fehler, daß ich ihn habe gehen lassen. Aber damals, vor drei Jahren, wußte ich noch nichts über den Zusammenhang von Atombomben, Männern und Frauen über dreißig.

Bei der Käseverkäuferin im ›Bremenhaus‹ kaufe ich wie früher ein Stück Tilsiter, weil ich sie so gerne englisch mit sächsischem Akzent sprechen höre. Über der Theke steht QUARK TODAY.

Der Tilsiter stinkt in meiner Handtasche vor sich hin, ich sitze in der ›Kleinen Konditorei‹, stochere in einem Stück Schwarzwälder Kirschtorte und frage mich, ob ich a) wirklich geglaubt habe, ausgerechnet hier auf einen passenden Mann zu treffen und ob ich b) wirklich einen Mann will. Je länger ich den alten Damen mit blaugefärbten Haaren um mich herum zusehe, wie sie energisch ihre Linzer Torten und Sahnestückchen in sich hineinschaufeln und sich übers Wetter und die Gesundheit beschweren, um so mehr beneide ich sie. Sie haben ihre Männer überlebt, ich aber werde nie mehr einen finden.

Eigentlich hat mir seit Johannes ein Mann nicht wirklich gefehlt.

Manchmal, wenn ich das Gefühl hatte, ein bißchen Sex würde mir guttun, meiner Kreativität und meiner Haut, hatte ich kurze Affären, aber seit man sich das nicht mehr leisten kann, habe ich entdeckt, daß ein Kaufrausch in der Chanel-Boutique letzten Endes denselben Effekt hat. Dann zeichne ich gleich viel besser, deshalb fühle ich mich besser, und meine Haut sieht auch viel glatter aus. Es lebe Chanel.

Die Schwarzwälder Kirschtorte bereue ich bereits. Mir ist übel, ich fühle mich ungesund, triebhaft, unamerikanisch. Vor Monaten habe ich aufgehört, rotes Fleisch zu essen und Kaffee zu trinken, das Rauchen habe ich schon vor Jahren aufgegeben, ich beobachte sorgfältig meinen Cholesterinspiegel, sehe zu, daß ich nicht zu viel Sodium zu mir nehme, ich trinke keinen Alkohol, trainiere meinen Körper, bemühe mich, wie ein echter Amerikaner daran zu glauben, daß man es schaffen kann, wenn man es nur wirklich will. Seit drei Jahren gehe ich einmal in der Woche zu einer Psychotherapeutin, die mich darin bestärkt und mich für einhundertzwanzig Dollar in der Stunde eindringlich vor einer Beziehungsfalle warnt. So habe ich Karriere gemacht. In New York. Und eine Eigentumswohnung im Village habe ich auch schon. Warum also will ich plötzlich einen Mann?

Meine Therapeutin kann ich das nach drei Jahren nicht fragen. Das sind Anfängerprobleme. Ihre ganze Mühe wäre umsonst gewesen.

Wie findet man überhaupt einen Mann? Seit der Veröffentlichung dieser grausamen Statistik sind die Frauenzeitschriften gespickt mit Tips und Ratschlägen. Unter der Rubrik: »Nie mehr einsam: Wie aufgeweckte Cosmo-Mädchen einen Mann kennenlernen« berichten Leserinnen, wie sie es geschafft haben. (Was ist ein Cosmo-Mädchen? Bin ich eins? Ich nehme es einfach mal an.) Penelope, Stewardess, 28 Jahre alt, schreibt: »Männer sprechen einen oft an, wenn man ein seltsames Objekt mit sich herumschleppt. Natürlich sollten Sie sich etwas aussuchen, was Sie auch wirklich interessiert, sonst könnte die Begegnung nach wenigen Sekunden beendet sein. Ich habe gute Erfahrungen mit einem großen eisernen Kreuz gemacht.« Interessant. Penelopes Ratschlag hat nur einen entscheidenden Schönheitsfehler. Sie ist erst 28 und hätte ihr eisernes Kreuz laut Statistik überhaupt nicht nötig gehabt. Barbara, Fernsehproduzentin, 36 Jahre alt, vertraue ich da schon eher: »Schauen Sie sich genau an Ihrem Arbeitsplatz um. Der Trick ist, sich jemanden auszusuchen, der nicht schon von allen anderen Frauen angemacht wird. Natürlich sollten Sie ihn auch mögen.«

Tja, Barbara, in meiner Redaktion gibt es nur den Chef, den alle anmachen, und einen winzigkleinen, buckligen Layouter mit dicker Brille. Ich mag ihn, keine Frage, aber ich bin drei Jahre jünger als Sie, liebe Barbara, und habe das (noch) nicht nötig.

Judy dagegen, Steuerberaterin, ist genau in meinem Alter, 33. Sie schreibt: »Ich habe Männer häufig in Kaufhäusern kennengelernt. Einige Abteilungen sind besonders zu empfehlen: Lederwaren, Schreibwaren und Elektroartikel. Kommen Sie nicht auf die Idee, sich in der Herrenkonfektion auf die Lauer zu legen. Jeder Mann wird annehmen, Sie suchen ein Hemd für Ihren Freund. Dasselbe gilt für Damenunterwäsche.

Haushaltswaren sind gut, Männer sind da so hilflos.« Es macht mich etwas skeptisch, daß sie schreibt, sie habe »häufig« Männer auf diese Art und Weise kennengelernt, wie groß war da der Ausschuß, aber ihr Rat scheint mir einen Versuch wert.

Vier Tage lang war ich jetzt jeden Tag nach der Arbeit bei Macy's, aber in all den von Judy so warm empfohlenen Abteilungen habe ich keinen einzigen Mann entdecken können, nur Frauen. Ich habe den Verdacht, sie sind alle aus demselben Grund hier wie ich. Wir umschleichen uns wie Katzen, beobachten uns, wie wir Brieftaschen und Koffer befühlen, Mixer und Toaster ausprobieren, uns stundenlang Schreibmaschinen vorführen lassen, fast nie etwas kaufen, und wenn, dann nur zur Tarnung. Unruhig flattern unsere Blicke über die Regale, wir mustern uns feindselig und versuchen gegenseitig unser Alter zu schätzen. Wie weit über dreißig?

Aber heute bei Bloomingdale's, vielleicht stand mein Horoskop günstig, war ich plötzlich ganz allein in der Lederwarenabteilung, und ein Mann um die vierzig tauchte hinter einem Schweinslederkoffer auf wie ein Deus ex Machina. Ein Mann mit dichtem, hellbraunem Haar, gut aussehend, vielleicht eine Spur zu seriös für meinen Geschmack, aber ich kann mir solche Mäkeleien ja nicht mehr leisten in meinem Alter. Er stand also vor den Koffern, ließ sie auf- und zuschnappen, ich robbte mich langsam und so unauffällig wie möglich über die Portemonnaies und die Damenhandtaschen näher, bis ich fast direkt neben ihm stand, da hörte ich ihn zum Verkäufer sagen, er suche einen möglichst eleganten Flugkoffer, er sei geschäftlich sehr viel unterwegs und müsse meist direkt vom Flughafen in eine Sitzung. Mir sank augenblicklich das Herz. Was nützt mir ein Mann, in dessen Jackentaschen ich unweigerlich irgendwann die Telefonnummer von Monique aus Paris oder Gabi aus Stuttgart finde?

Ich habe mir stattdessen die neue Folge von »Wie aufgeweckte Cosmo-Mädchen einen Mann kennenlernen« gekauft. Heute schreibt Susanne, Zahnarzthelferin, 35: »Mein Ex-Mann mochte keine Hunde, also haben wir uns ein Kaninchen angeschafft. Als wir uns scheiden ließen, bekam ich das Sorgerecht für das Kaninchen. Ich nehme es jetzt immer mit, wenn ich mit dem Zug nach Connecticut fahre. Jede Menge interessante Männer haben sich schon neben mich gesetzt, um das Kaninchen zu streicheln.«

Ich sehne mich plötzlich heftig nach einem kleinen, schwarzen Kaninchen mit weißen Ohren, aber meine Eltern wohnen in Wuppertal und nicht in Connecticut. Wohin sollte ich denn fahren mit meinem Kaninchen? Ich sehe mich schon einsam und verlassen in New Haven nachts am Bahnhof stehen, der letzte Zug nach New York ist bereits abgefahren, und weit und breit kein interessanter Mann in Sicht, der mein Kaninchen streicheln will.

Neuerdings habe ich Tagträume. Ich sehe einen Mann in meiner Küche sein Frühstücksei köpfen, ein anderer sitzt mit einem Martiniglas in der Hand auf meiner Couch, einer steht unter der Dusche, einen finde ich in meinem Bett. Er sieht mich erwartungsvoll an und lächelt.

Meine Therapeutin hat ein nervöses Gesichtszucken an mir bemerkt. Sie meint, ich stecke voller negativer Energie. Seit drei Jahren komme ich jeden Mittwoch um elf in dieses Zimmer, und immer riecht es leicht nach Aftershave, die Couch ist noch warm von meinem Vorgänger, manchmal, wenn ich etwas zu früh dran bin und im Vorzimmer warte, höre ich seine sonore Stimme. Aber gesehen habe ich ihn noch nie. Diskret, wie meine Therapeutin ist, entläßt sie die Patienten durch eine andere Tür, bevor der nächste hereinkommt. Heute fiel mir seine Stimme als besonders sympathisch auf.

»Sport«, sagt meine Therapeutin. »Sport?« frage ich schwach. Seit zwei Jahren gehe ich jeden zweiten Tag ins Sportstudio. Sie verordnet mir Urlaub.

Ich nehme vier Wochen frei. Ohne meinen Arbeitsrhythmus fällt mir die Abwesenheit eines Mannes um so schmerzlicher auf. Ich telefoniere mit sämtlichen Freundinnen. Zögernd geben sie alle zu, seit dem Artikel auf der Pirsch zu sein. »Weißt du«, sagt Margie, 36, »seit ich diese verdammte Statistik gelesen habe, sehe ich im Spiegel nur noch eine Frau mit Cellulitis und Bandscheibenschaden, ohne Mann, ohne Doppelbett und ohne Rente.« Ich werfe ihr ihren Materialismus vor, und sie nennt mich eine unverbesserliche, europäische Romantikerin. Sie will sich einen Mann als Untermieter für ihre winzige Zwei-Zimmer-Wohnung suchen. »Auf eine Anzeige melden sich im Schnitt vierhundert Interessenten«, sagt Margie, »und wer in Manhattan mal ein Zimmer gefunden hat, zieht nie wieder aus.« »Außer er heiratet eine andere«, wende ich ein. Sie legt beleidigt auf.

Ich habe leider nur ein Ein-Zimmer-Apartment. Aber wenn ich durch das Wohnzimmer eine Wand ziehen würde... Unter vierhundert Bewerbern müßte doch ein passender dabei sein.

Im Fernsehen läuft, wie immer, wenn es mir schlecht geht, »The Way We Were«. Ach, Barbra Streisand, diesen Luxus, dich wegen politischer Meinungsverschiedenheiten von Robert Redford zu trennen, würdest du dir heutzutage nicht mehr leisten können.

Im College gab es viele, die so aussahen wie Redford. Gutaussehend, robust, mit fabelhaften Zähnen und einem unerschütterlichen Optimismus. Wo sind die alle geblieben? In New York sind sie jedenfalls nicht. Ich wette, die sind bereits alle verheiratet, und ihre Frauen haben ihnen nach der Lektüre der Atombomben-Männer-Statistik erleichtert die Hemden gebügelt und ihnen jauchzend ein Bier gebracht. Warum mußte ich mich damals im College auch ausgerechnet in den einzigen Deutschen verlieben? Johannes trug die besseren Unterhosen, knappe Slips, nicht diese gräßlichen Boxershorts; er rauchte und redete über Kunst, er war anders als die Amerikaner, er war so wie ich, damals.

Die große Liebe erwarte ich ja gar nicht. Ich möchte nur einem Mann morgens beim Rasieren zusehen, mit ihm Baseball im Fernsehen sehen und so tun, als interessiere es mich, ich möchte mein Doppelbett nicht mehr nur auf Verdacht auf beiden Seiten beziehen, im Kühlschrank möchte ich Budweiser und im Badezimmer Aftershave finden, am Strand mit ihm auf einem Handtuch liegen und von ihm hören, daß ich eine bessere Figur habe als die anderen. Ist das denn zuviel verlangt? Die Streisand verteilt immer noch ihre Flugblätter, als sie Jahre später ihren Bobby wiedersieht, und sie lieben sich immer noch und können dennoch nie, nie zusammenfinden, und ich weine wie ich immer am Ende dieses Films weine. Verdammt noch mal, ich möchte auch mal wieder so richtig aus Liebe leiden.

In der ›Village Voice‹ liegt eine Beilage des Sommerkursprogramms, in dem ›Kreative Hypnose‹ angeboten wird, ›Geheimnis des Charismas‹, ›Die Kraft der Kristalle‹, ›Lassen Sie Wunder geschehen durch die Kraft der Liebe‹, und ›Wie baue ich ein Glückwunschkartengeschäft auf‹.

Man kann an Sightseeing-Tours teilnehmen zu den Heimen berühmter Filmstars oder zu den Schauplätzen berühmter Morde, auch als Doppelpaket zum ermäßigten Preis zu haben. Ich erwäge kurz, mich dafür einzuschreiben, aber dort trifft man wahrscheinlich nur Touristen, die, kaum weiß man ihre Telefonnummer auswendig, wieder nach Hause fahren. Es gibt natürlich auch maßgeschneiderte Kurse für mein Problem: ›52 Wege, einen Liebhaber zu finden‹, ›Der kreative Flirt‹ und für Fortgeschrittene ›Die kreative Beziehung‹. Aber irgendwie widerstrebt es mir – noch –, dafür einen Kurs zu belegen und mit ähnlich Erfolglosen im Rollenspiel den kreativen Flirt zu üben. Als wäre ich selbst dazu zu blöd. Meine Mutter hat immer, wenn sie ein besonders seltsames Paar sah, gesagt: »Es ist doch kein Topf so schief, daß nicht ein Deckel draufpaßt.« Ich frage mich, ob ich der Topf oder der Deckel bin.

Meine Freundin Julie ruft an und berichtet aufgeregt, sie gehe jetzt jeden Tag zu den Treffen der Anonymen Alkoholiker, da könne man jede Menge interessanter Männer kennenlernen. »Aber du hast doch nie auch nur an Alkohol gerochen«, sagte ich. »Opfer muß man eben bringen«, sagt sie, »ich trinke jetzt jeden Tag eine Flasche Bier, und manchmal sogar zwei. Ich muß ja schließlich mitreden können. Und weißt du was, langsam schmeckt's mir sogar!« Sie kichert glücklich.

Ich hole die Whiskyflasche aus dem Schrank, die mir die Kollegen von der Redaktion vor einem Jahr zum Geburtstag geschenkt haben und die seither unberührt im Schrank gestanden hat. Ich trinke ihn in kleinen Schlucken wie Medizin. Ich weiß nicht, ob ich mich daran gewöhnen könnte, aber es gibt ja auch noch die Anonymen Raucher. Nach zwei Jahren sehne ich mich plötzlich nach einer Zigarette.

Ich nehme mir ein Kissen und die Whiskyflasche und lehne mich aus dem Fenster. Für jeden gutaussehenden

Mann, der vorbeikommt, mache ich einen Strich auf den Fensterrahmen, für jeden halbwegs attraktiven ein Kreuz. Über Fünfzig- und unter Zwanzigjährige zähle ich nicht mit. Nach drei Stunden sind 187 Männer unter meinem Fenster vorbeigegangen, davon 53 in weiblicher Begleitung, 3 wirklich gutaussehende und 7 halbwegs attraktive. Ein niederschmetternder Prozentsatz. Auf der Straße zieht ein Penner einen Pappkarton hinter sich her. »Wenn du mich noch einmal fragst, ob ich dich liebe, wenn du mich noch ein einziges Mal fragst...«, sagt er zu seinem Pappkarton.

Ich trinke die Flasche aus. Fünf Männer sitzen auf meiner Couch und fragen mich, ob ich sie liebe.

Ich verlasse die Wohnung.

Auf der Sechsten Avenue sitzt eine Handleserin an einem Campingtisch, winkt mir zu und schreit: »Ihr Schicksal steht in Ihrer Hand!« Ich bin sicher, in meiner Hand steht: »Ätsch. Kein Mann in Sicht.«

Ich komme an dem billigen, verstaubten chinesischen Restaurant vorbei, da waren Johannes und ich am Abend, bevor er nach Deutschland zurückgeflogen ist. »Du kannst ja nachkommen«, hat er gesagt. Vielleicht hätte er sagen sollen »Komm mit. Bitte.« Wenn man wirklich mal eine chinesische Lebensweisheit braucht, findet man in seinem Fortune-Cookie nur banalen Mist. An dem Abend war's ›Große Ereignisse kündigen sich nicht groß an‹.

Neben dem Chinesen hat ein neuer Laden aufgemacht, das ›Magie-Center‹. Im Schaufenster stehen sauber nebeneinander aufgereiht Spraydosen gegen ›negative Kräfte‹, ›Neid und Mißgunst‹, kleine Flaschen mit den Aufschriften ›Ich-bin-stark-Öl‹ und ›Komm-zu-mir-Öl‹. Ich betrete whiskymutig schnurstracks den Laden und erkläre den beiden in schwarzes Leder gekleideten, mit schweren Ketten und Plastiktotenschädeln behängten Magie-Verkäufern mein Problem. Sie hören mir genauso milde lächelnd und aufmunternd nickend zu wie sonst meine Psychotherapeutin. Und umsonst! Sie sind offensichtlich schwul, was mir meine Enthüllungen sehr viel leichter macht. Welche Frau gibt schon gern zu, daß sie zu blöd ist, einen Mann zu finden. »Sie brauchen sich gar keine Vorwürfe zu machen«, sagt der eine zu mir, der seine Haare in einer karottenroten Tonsur trägt, »haben Sie diese Statistik gelesen, wonach es sehr viel wahrscheinlicher ist, als Frau über dreißig von einer Atombombe getroffen zu werden?« Ich nicke bitter. »Schrecklich«, sagt der andere. »Aber es gibt doch genauso viele Männer wie Frauen, nicht?« frage ich. »Tja«, sagen beide unisono und sehen sich an. »Es gibt noch genug Heteros«, wendet der Rote sich wieder mir zu, »sie sind bloß schwer zu finden. Es ist ein bißchen wie bei... bei Hunden...« – »Pferden«, sagt der andere. »Ja, wie bei Pferden«, fährt der Rote fort und lächelt seinem Kompagnon zärtlich zu, »wenn Sie hinter ihnen herlaufen, galoppieren sie nur um so schneller davon. Sie müssen stehen bleiben und positive Schwingungen aussenden.« Und deshalb empfehlen sie mir beide dringend das ›Komm-zu-mir-Paket‹, bestehend aus ›Komm-zu-mir-Öl‹, einem Beutelchen mit Liebesduft, das immer bei sich zu tragen ist, und einer Kerze, in die ich den Namen des Begehrten einritzen soll. »Ich habe aber gar keinen Bestimmten im Auge«, sage ich schüchtern.

Daraufhin wiegen beide bedenklich das Haupt. Von anonymer Magie könnten sie mir in dieser Stadt nur abraten, es seien zu viele ausgeflippte Typen unterwegs, die stark auf Magie ansprächen. »Und die werden Sie dann nie wieder los.« Sie raten mir dringend, mir ein ganz bestimmtes Opfer zu suchen (bei dem Wort Opfer stößt der mit der roten Tonsur dem anderen leicht tadelnd in die Rippen), mir seinen Namen zu merken, ihm ein Haar auszureißen oder sein Jackett nach einem ausgefallenen abzusuchen und dann die Beschwörung genau nach Gebrauchsanweisung vorzunehmen.

Ich erwerbe das ›Komm-zu-mir-Paket‹, sie hängen mir fürsorglich das Beutelchen mit Liebesduft gleich um den Hals, weil manchmal schon allein der Duft helfen könne, und entlassen mich mit guten Wünschen und Ermahnungen zu positiver Denkungsart. Das Beutelchen stinkt penetrant nach Moschusöl.

Meine Therapeutin stellt fest, ich röche nach negativen Schwingungen. Sie habe auf einem Fortbildungskurs gelernt, psychische Störungen zu riechen, das sei eine alte chinesische Wissenschaft, und während sie mir davon erzählt, sehe ich plötzlich ein langes, graues

Haar auf ihrer Couch. Vorsichtig hebe ich es auf und lege es in mein Portemonnaie.

»Und versuchen Sie auf keinen Fall, ihr Stimmungstief durch eine Beziehung zu beheben«, schärft sie mir zum Abschied ein. Als sie sich abwendet, um die Tür zu öffnen, werfe ich einen schnellen Blick in ihren Terminkalender auf dem Schreibtisch. »10 UHR L. MONTELEONE« steht da vor meinem Namen um 11 Uhr. L. Monteleone, die sonore Stimme. Ein grauhaariger, gutaussehender Italiener, so Anfang Vierzig, ein Künstler vielleicht, der unter der Welt leidet, stelle ich mir vor und sehe sofort in meinem Portemonnaie nach – das Haar ist noch da –, oder ein fetter Mafioso im Kamelhaarmantel, der sich behandeln läßt, weil ihn sein Gewissen quält?

Ist das lange, graue Haar wirklich von ihm, oder ist es vielleicht ein Hundehaar? Auf dem Weg nach Hause kaufe ich eine Lupe. Es sieht zum Glück sehr nach Menschenhaar aus und leidet unter Spliss. Monteleone, was für ein schöner Name. L. für Ludovico? Luigi? Lino? Die sechs Tage bis zu meiner nächsten Therapiestunde kommen mir vor wie sechs Jahre.

Am nächsten Mittwoch stehe ich um sechs Uhr früh auf, wasche mir die Haare, schminke mich sorgfältig und ziehe mein bestes Kleid an. Vor Aufregung trinke ich in einer Kneipe einen Wodka, bevor ich um 10.30 Uhr das Vorzimmer meiner Therapeutin betrete.

Ich lausche seiner entfernten Stimme, sie ist nicht nur sonor und sympathisch, sondern auch ausgesprochen sexy. Leider kann ich nicht verstehen, was er sagt, einmal nur glaube ich, ein »Warum? Warum?« herauszuhören. Wie gut ich ihn verstehen kann, Herrn L. Monteleone. Warum geht die Vorzimmerdame ausgerechnet heute nicht wie sonst aufs Klo, um ihre Zigarette zu rauchen? Ich zittere vor Angst, daß sie innerhalb einer Woche das Rauchen aufgegeben hat, da holt sie endlich ihre Zigaretten aus der Schublade, zwinkert mir verschwörerisch zu und verschwindet. Kaum ist sie draußen, springe ich auf und reiße die Tür zum Behandlungszimmer auf. Er liegt nicht auf der Couch sondern sitzt, wie ich, das macht ihn mir sofort sympathisch, GRAUE Haare fallen ihm fast bis auf die Schultern. Überrascht drehen sich meine Therapeutin und er nach mir um. Er sieht markant aus, vielleicht nicht gerade schön, aber markant ist doch viel interessanter als schön, ich schätze ihn auf Anfang Vierzig, das beste Alter für einen Mann, sehr groß ist er nicht, aber bestimmt auch nicht kleiner als ich. »Ich muß schon sagen!« faucht meine Therapeutin, und ich stammle »Entschuldigung. Ich dachte, es ist schon elf Uhr« und schließe schweißnaß vor Aufregung die Tür. Der Vorzimmerdame kritzle ich eine Nachricht, mir sei plötzlich schlecht, ich könne meine Stunde heute unmöglich wahrnehmen.

Zu Hause ziehe ich die Vorhänge zu. Sorgfältig schnitze ich L. MONTELEONE ins Wachs, sein Name ist so lang, daß er kaum auf die Kerze paßt. Genau nach Gebrauchsanweisung reibe ich sie mit dem ›Komm-zu-mir-Öl‹ ein, zünde die Kerze an und halte mit klopfendem Herzen sein Haar in die Flamme.

Es verzischt schneller, als ich gucken kann. Aber die Kerze brennt vier Stunden und zwanzig Minuten lang, und so lange, haben mir meine magischen Berater eingeschärft, muß ich mich auf mein Opfer konzentrieren. Als die Flamme endlich zuckend erlischt, schlafe ich vor Erschöpfung ein.

Vom Telefonklingeln wache ich Stunden später erst auf. Im Traum war ich in Wuppertal. Meine Mutter häkelte einen Klopapierüberzug fürs Auto aus rosa Wolle und murmelte unablässig vor sich hin: »Es ist kein Topf so schief, daß kein Deckel draufpaßt.« Mein Anrufbeantworter, den ich eingeschaltet habe, um bei meiner Zeremonie nicht gestört zu werden, meldet sich und erzählt, daß ich im Moment leider nicht zu Hause bin, es piepst, und ich höre ein Atmen, und dann sagt eine sonore, sympathische Männerstimme: »Hier ist Leonardo Monteleone, schade, daß Sie nicht zu Hause sind ...«

Ich springe aus dem Bett, verheddere mich im Bettlaken, kann das Telefon nicht finden. Leonardo Monteleone, was für ein Name! »Schade«, sagt die Stimme, »naja, dann ...« Ich wühle mich quer durch das Zimmer an der Schnur zum Telefon, »warten Sie, warten Sie«, sage ich atemlos, »ich bin gerade nach Hause gekommen.« »Mein Name ist Leonardo Monteleone«, wiederholt er in fast akzentfreiem Englisch förmlich. »Sie haben heute morgen in der Praxis Ihren Schal vergessen, so einen grüngemusterten ...«

Ich trage nie grüngemusterte Schals. »Oh ja«, sage ich, »das muß meiner sein.« Aus dem Liebesbeutel unter meinem Kinn strömt Moschusduft.

»Ich könnte Ihnen den Schal vorbeibringen.«

»Das ist schrecklich nett von Ihnen ...« stottere ich.

»Oh«, unterbricht er mich, »das war nicht aufdringlich gemeint. Ich hatte nur vergessen, daß es Frauen in dieser Stadt nicht gerne haben, wenn wildfremde Männer ihre Adressen kennen ...«

»Sie sind nicht von hier?« frage ich.

»Nein, ich komme aus Deutschland.«

»Ach, wirklich?« sage ich nonchalant, »woher denn in Deutschland?«

»Wuppertal, ich weiß nicht, ob Ihnen das was sagt.«

Ich nehme den Liebesbeutel vom Hals und lege ihn unter mein Kopfkissen.

»Ich wohne in der Leroy Street 15«, sage ich langsam auf deutsch, »kommen Sie schnell.«

»Na, denn tschö«, sagt er, »und bis gleich.«

»I love you, wie klingt denn das?«

»Was ist denn schon anders in Amerika als in Deutschland?« dachte Philip, als er versuchte, das Fenster seines Hotelzimmers nach oben zu schieben. Die Türen gehen andersherum auf und die Fenster nach oben. Die Luft, die ins Zimmer drang, war schwer und naß. Die Polizeisirenen klingen anders. Und der Kaffee ist schwächer. Er bestellte neuen. Das Ypsilon und das Zett auf der Schreibmaschine sind vertauscht. Er hatte vergeblich versucht, eine Schreibmaschine mit deutscher Tastatur zu bekommen. Ich kann nicht, dachte er und legte sich aufs Bett. Seine Frau vermißte er nicht, und das tat ihm leid. Die ersten zwei Wochen ohne Sex waren für ihn immer die schlimmsten, dann gewöhnte er sich daran. Vielleicht hätte er doch einen Kaffee bei der jungen Musikerin trinken sollen, sie hatte lange, schlanke Beine, und sie war immerhin sein Thema, das Ende der Popmusik. Beine bis zum Hals. Die längsten Beine, die er jemals an einer Frau gesehen hatte. Er rief sie an.

»Das Ende?« sagte sie. »Es ist ein Anfang. Ein ganz neuer Anfang.«

»Wenn man noch nicht mal einen Akkord spielen kann?«

»Das ist es ja. Wir können nichts, und das macht uns stark. Weil uns alle darum beneiden, daß wir nichts können und es trotzdem tun.«

Sie war blond, 25, und nannte sich Box. Sie spielte mit ihren Eßstäbchen und fragte kichernd, ob sie vielleicht noch eine Portion Sushi haben könne. Er trank den fünften Sake. Sie ist süß, dachte er.

»Die Sex Pistols konnten wenigstens drei Akkorde«, sagte er.

»Das war ihr Fehler. Sie mußten so tun, als seien sie Musiker. Das hat sie umgebracht. Wir sind einfach scharf und können nichts.«

Sie schlang die Sushi in sich hinein und hämmerte mit den Stäbchen auf den Tisch. Er nahm sie ihr weg. Vier kleine verkleidete Mädchen, die mit nichts einen Haufen Geld verdienten. Er fühlte sich beleidigt.

»Sie sind so europäisch, so verdammt europäisch«, sagte Box.

Er hätte sie einfach küssen sollen. Fürs Essen hatte sie sich nicht bedankt, sich auch nicht von ihm verabschiedet. Auf der Straße hatte sie sich einfach umgedreht und war in der entgegengesetzten Richtung davonmarschiert. In dieser Stadt marschierten sie alle, sie gingen nicht, sondern rannten, den Kopf gesenkt, auf ein imaginäres Ziel zu. Kampf. Er sah ihren weißblond gefärbten Schopf in der Entfernung auf und nieder hüpfen. Er mochte New York nicht.

Er bestellte sich ein Bier aufs Zimmer und versuchte zu schreiben. WIR KÖNNEN NICHTS, UND DAS MACHT UNS STARK. Die Überschrift deprimierte ihn. Der Kellner kam mit dem Bier, ein untersetzter, südamerikanisch aussehender junger Mann.

»Ich heiße Gabriel Garcia«, sagte er mit stark spanischem Akzent, »so wie der Schriftsteller.«

Sie lächelten sich zu, Gabriel verschränkte die Hände auf dem Rücken und sah sich im Zimmer um.

»Sie sind auch Schriftsteller, was?« Er deutete auf die Schreibmaschine.

»Journalist«, sagte Philip und wartete ungeduldig drauf, daß der Kellner endlich gehen würde.

»Aber Sie denken sich auch Sachen aus, oder?«

»Naja, wie man's nimmt.« Philip goß das Bier in ein Glas. Auch das Bier ist schwächer hier. Gabriel rührte sich nicht von der Stelle. Philip bot ihm das Glas an.

»Ich trinke sowieso lieber aus der Flasche.«

Gabriel nahm das Glas.

»Es ist verboten, sich von den Gästen einladen zu lassen«, sagte er, »aber manche sind einsam ...«

»Meinen Sie, daß ich einsam bin?«

»Nein, nein, nicht Sie. Aber eine Dame im fünften Stock. Sie ist Deutsche, wie Sie. Ich glaube, sie ist einsam.«

»Aha«, sagte Philip.

»Sie ist wunderschön. Ich bringe ihr morgens das Frühstück. Sie trinkt Tee und ißt immer nur ein Ei. Das andere läßt sie übrig.«

»Und warum glauben Sie, daß sie einsam ist?«

Gabriel trank mit einem Zug das Glas aus und lächelte.

»Was heißt ›Ich bin verrückt nach Ihnen‹ auf deutsch?« fragte er. Philip sagte es ihm.

»Das ist aber schwierig. Können Sie es mir vielleicht aufschreiben?«

Philip übte mit Gabriel die Aussprache. Er war begabt. »Ich bin verrückt nach Ihnen. Seit ich Sie das erste

Mal gesehen habe, kann ich nicht mehr schlafen«, las er von dem Blatt ab.

»Und jetzt noch: Wenn Sie mich verschmähen, werde ich der unglücklichste Mann unter der Sonne sein.«

»Das ist lang auf deutsch. Das können Sie bestimmt nicht alles behalten«, sagte Philip. »Und es ist vielleicht ein bißchen sehr dramatisch ... für eine Deutsche.«

»Oh, nein. Ich bin schließlich Puertoricaner. Das erwartet sie von mir.«

Gabriel preßte seinen Spickzettel an die Brust und dankte Philip überschwenglich. Als er gegangen war, fühlte sich Philip einsam. Er sehnte sich nach Box und ihren langen Beinen. Im Fernsehen warben schlanke Mädchen in hautengen Anzügen für Sportgeräte.

Er rief Box an, aber keiner ging ans Telefon.

»Ich bin ein alter Idiot«, dachte er. Er ging an die Bar und wartete auf die Deutsche aus dem fünften Stock. Mit ihm saßen drei offensichtlich einsame Vertreter an der Bar. Sie lachten laut. »So wie die möchte ich nicht enden«, dachte Philip und ging zurück auf sein Zimmer. Er konnte nicht schlafen, die Zeitumstellung machte ihm immer noch zu schaffen. Um drei Uhr wachte er auf und wäre gern spazierengegangen, traute sich aber nicht auf die Straße. Er roch nach Angst, das wußte er, und dann wird es gefährlich. Box hätte über ihn gelacht. »Was will ich von einem fünfundzwanzigjährigen Huhn?« fragte er sich. Er wußte, was er von ihr wollte. Es ödete ihn an. Er nahm eine Dusche.

Die Duschköpfe sind anders in Amerika. Gabriel brachte das Frühstück.

»Heute abend sage ich es ihr.« Er sagte die auswendig gelernten Sätze auf, und Philip hatte Mühe, sie wiederzuerkennen. Gabriel lächelte stolz.

Das Telefon klingelte. Box stand im Foyer. Philip zog sich wieder aus und warf sich den Bademantel des Hotels über. Er saß entspannt beim Frühstück, als sie ins Zimmer kam.

»Entschuldigung«, sagte sie, »ich dachte, Sie wären schon auf.«

Er bot ihr Kaffee an. Sie wollte Tee. Er bestellte Tee. Gabriel brachte ihn und zwinkerte ihm zu.

»Kann ich vielleicht duschen?« fragte Box. Das hielt Philip für ein gutes Zeichen. Als sie im Bad war, machte er das Bett. Sie kam geschminkt und angezogen nach einer Viertelstunde wieder heraus und trank ihren Tee.

»Schreiben Sie, daß wir Idioten sind?« fragte sie.

»Nein. Natürlich nicht.«

»Wie heißt Ihr Artikel?«

»Der neue Anfang der Popmusik«, sagte er.

»Sehen Sie. Sie haben also doch was begriffen.«

Sie saß auf der Couch und zog die Beine an.

»Haben Sie eine Freundin?«

»Nein.«

»Was ist los mit Ihnen? Getrennt?«

»Ja«, log Philip.

»Oh Gott«, sagte Box und schwang ihre Beine über die Sofalehne.

»Was heißt ›oh Gott‹?«

»Männer, die sich gerade getrennt haben, bringen immer Probleme, das heißt es.«

»Wer sagt, daß ich mich gerade getrennt habe?«

»So was spüre ich.«

»Aha.«

»Ich lerne jetzt Gitarre spielen.« Sie stand auf und wanderte durchs Zimmer.

»Das ist aber gefährlich, finden Sie nicht? Wir können nichts, und das macht uns stark, das stammt von Ihnen.«

»Man kann ja nie wissen.«

»Das ist richtig.«

Sie sah ihn an. Er schlug die Beine übereinander. Seine Waden waren eiskalt von dem Zug der Air-Condition.

»Man kann nie wissen«, sagte sie langsam.

Sie schwiegen. Sie nahm ihre Handtasche, eine leere Konservendose mit einem Band daran, holte einen Lippenstift raus.

Sie beugte sich über ihn und zog vor dem Spiegel ihre Lippen nach. Er rückte zur Seite. Sie roch nach Babypuder.

Sie küßte ihn auf den Mund und kicherte. Er stand auf. Sie winkte ihm zu und ließ die Tür hinter sich ins Schloß fallen.

Er zog sich seine Socken an.

Den ganzen Tag lag er auf dem Bett und hörte dem gleichmäßigen Verkehrsrauschen zu. Hier wird öfter gehupt als zuhause, dachte er. Erst als es ganz dunkel war, suchte er nach dem Lichtschalter der Nachttischlampe. Die Lichtschalter sind anders, kleine Knöpfe zum Drehen. Um zehn rief Box an. Ob er mit ihr essen gehen wolle.

»Ich bin sehr beschäftigt«, sagte er. Sie verabredeten sich beim Japaner.

»Dieser rohe Fisch gibt mir so viel Energie«, sagte sie.

Er war zu früh da. Er wartete eine Stunde. Er mochte keinen rohen Fisch. In der Suppe schwamm ein schwarzer Pilz wie ein Rochen. Auf dem Rückweg ins Hotel kaufte er sich sechs Dosen Bier. Er hatte keine Lust, mit Gabriel Garcia zu reden. Im Fernsehen machte eine Sekte Werbung für die Errettung. Gleich danach pries ein Mann Gewehre an. Philip erinnerte sich an einen Satz, den er irgendwann gehört hatte: Ein deprimierter Europäer macht die Fenster zu und begeht Selbstmord, ein deprimierter Amerikaner macht die Fenster auf und schießt auf andere.

Als er das Fenster zumachen wollte, quetschte er sich den Daumen.

Er war ein lächerlicher Mann. Zur Rache rief er sie um acht Uhr früh an. Sie war so verschlafen, daß sie sich besinnen mußte, wer er war. An die Verabredung konnte sie sich nicht erinnern. Sie wünschte ihm noch einen schönen Aufenthalt in New York, sie würde für ein paar Tage ans Meer fahren, um sich für die Tournee zu entspannen.

»Ihr geht mit eurer Schrottmusik auf Tournee?« fragte er erschrocken.

»Was denken Sie denn?« sagte Box patzig, »wir sind Stars.«

Er legte auf und sah eine Weile aus dem Fenster. Ein Schwarzer zog an einem Bindfaden eine Kiste hinter sich her, in der eine Puppe saß. Er blieb stehen, nahm die Puppe auf den Arm, wiegte sie hin und her, setzte sie wieder in die Kiste und schlurfte langsam weiter.

Hunger hatte er keinen, aber er bestellte Frühstück.

Gabriel Garcia betrat mit strahlendem Lächeln das Zimmer. Er flüsterte verschwörerisch.

»Ich habe schon auf Ihre Frühstücksbestellung gewartet. Stellen Sie sich vor, es hat geklappt!«

»Nein«, sagte Philip.

»Die ganze Nacht. Ein Marathon.« Er machte eine eindeutige Handbewegung. »Wenn das Management davon erfährt, bin ich den Job los. Macht nichts – ich bin der glücklichste Mann von der Welt. Ich liebe sie. Sie war so einsam.«

Philip mußte lachen. Gabriel Garcia klopfte sich an die Brust.

»Ich, ich habe sie glücklich gemacht. Ich kann Ihnen gar nicht genug danken.«

Er wollte Philip um den Hals fallen, aber der trat ein paar Schritte zurück.

»Sie haben wirklich die Sätze aufgesagt, und es hat funktioniert?«

»Ja. Jetzt liebt sie mich.«

»Hören Sie, Gabriel, machen Sie sich nicht zu große Hoffnungen. Das bedeutet nicht allzuviel – in Deutschland.«

»Sie hat die Sprache der Liebe gesprochen«, sagte Gabriel pathetisch.

»Und sie kann gar kein Englisch?«

»Doch, doch, natürlich.«

»Warum mußte ich Ihnen dann diesen ganzen romantischen Mist auf deutsch aufschreiben?«

Gabriel sah ihn erstaunt an.

»Auf englisch hätte sie mir doch nicht geglaubt. ›I love you‹, wie klingt denn das? Wie ein Schlager, aber nicht wie die Wahrheit. Ich weiß das. Wenn eine Frau zu mir sagt ›te quiero‹, schmelze ich wie Butter an der Sonne. Aber ›I love you‹, das glaubt doch kein Mensch.«

Er klopfte Philip heftig auf die Schulter.

»Sie sind ein guter Mann. Es gibt nicht viele wie Sie.«

Er ging. Philip hörte ihn auf dem Flur vergnügt pfeifen.

Er rief seine Frau in München an.

Los Angeles

»The white zone is for loading and unloading only«. Mit geschlossenen Augen würde sie an diesem Satz, der ständig über Lautsprecher wiederholt wurde, erkennen können, wo sie war. LAX, der Flughafen von Los Angeles. Die Fahrer der Limousinen hielten Schilder mit den Namen ihrer Fahrgäste in die Höhe, Familien umarmten sich, junge Männer hielten ihren ankommenden Freundinnen schüchtern ein paar Blumen entgegen.

Sie hatte nicht angenommen, daß Dave sie abholen würde, und dennoch hatte sie sich schnell ein bißchen Lippenstift und Rouge aufgelegt, bevor sie durch den Zoll ging.

Die Luft war warm wie aus einem Fön. In Frankfurt hatte es geschneit. »The white zone is for loading and unloading only«. Sie stand direkt unter dem Lautsprecher. Einige Passagiere, die jetzt ihre Koffer in den Autos ihrer Abholer verstauten, erkannte sie wieder. Die Frau, die neben ihr gesessen hatte und nach zwölf Stunden Flugzeit genauso makellos aussah – frisch, perfekt frisiert und in Stöckelschuhen – wie in Frankfurt, umarmte flüchtig einen großen Blonden und stieg in einen schwarzen Mercedes.

Marie schob sich ein Pfefferminzbonbon in den Mund. Falls Dave doch noch auftauchen sollte. Sie fühlte sich klebrig und müde.

Am Telefon vor drei Tagen hatte er gesagt, er freue sich darauf, sie zu sehen. »I'm looking forward to seeing you.« Das hieß doch: ich freue mich darauf...

»Call me if you happen to be in Los Angeles.« Sie war ganz zufällig in Los Angeles. So zufällig, wie eine zweiundzwanzigjährige technische Zeichnerin aus Hamburg eben in Los Angeles sein konnte. Sie hatte unbezahlten Urlaub genommen, ihr Konto geplündert, sich zwei neue Sommerkleider gekauft, einen Crash-Kurs in Englisch belegt, um ganz zufällig hier zu sein.

Sorgfältig hatte sie einen Falk-Stadtplan von Los Angeles studiert und mit rotem Filzer einen Kreis um seine Adresse gezogen. Er wohnte am Meer. Oder immerhin fast am Meer.

Sie überlegte, ob sie ihn anrufen sollte. »Ich bin zufällig am Flughafen ...« Und dann würde er sie abholen, und sie würde schon im Auto einschlafen.

Sie beschloß, mit einem Bus in seinen Stadtteil zu fahren, sich an den Strand zu legen, ein bißchen zu schlafen und ihn dann, ganz zufällig, anzurufen.

Mit ihrer Tasche auf dem Rücken irrte sie über das Flughafengelände, ihre Füße waren heiß, die Socken viel zu warm. Sie merkte, wie sie von Kopf bis Fuß anfing zu stinken. Sie fragte mehrere Leute nach dem Bus nach Santa Monica, zwei sprachen kein Englisch, einen Schwarzen verstand sie nicht, ein vierter deutete schließlich vage in eine Richtung auf der anderen Seite des Flughafens.

Drei Chinesen standen einsam mit ihren Koffern unter einem Bushalteschild, und sie stellte sich dazu. Nach zehn Minuten fragte Marie: »Santa Monica? Santa Monica?« Die drei Chinesen nickten.

Der Busfahrer nahm ihre Dollarscheine, die sie ihm entgegenhielt, nicht an, sondern deutete mit dem Kopf auf eine Plastikbox mit Kleingeld. »How much?« fragte Marie, und der Busfahrer sagte, ohne sie anzusehen, »no bills.« Die Chinesen, die geduldig hinter ihr warteten, wechselten ihr schließlich einen Dollar, deuteten auf die Plastikbox, warfen 75 Cents ein und gaben ihr 25 Cents zurück. Plötzlich war Marie den Tränen nahe.

Sie nahm ihre Tasche auf den Schoß und hielt ihr Gesicht in den heißen Fahrtwind, der wie Watte durch die geöffneten Fenster quoll. Unter den Fahrgästen war kein einziger Amerikaner oder zumindest keiner, der nach Maries Vorstellung aussah wie einer. Keiner war groß und blond und braungebrannt wie Dave, keiner hatte sein amerikanisches Gebiß, dieses breite Lächeln mit gesunden, weißen Zähnen, das für Marie das erste Kennzeichen aller Amerikaner war.

Sie fuhren an endlosen Ketten von kleinen Häusern in spanischem Stil vorbei, vor den gepflegten Gärten, in denen Blumen wuchsen, die Marie nicht kannte, parkten bunte, saubere Autos. Kein Mensch war auf der Straße, und nur das leise Geräusch der Sprinkleranlagen war zu hören.

Marie wurde leicht und fröhlich. Sie erkannte alles wieder aus unzähligen Fernsehserien, die zu Hause in Hamburg Abend für Abend über die Mattscheibe geflimmert waren, wenn sie es sich nach der Arbeit mit Spaghetti und Wein gemütlich gemacht hatte. In der letzten Zeit mit Hüttenkäse und Tomaten, weil Dave von ihrer »europäischen Figur« gesprochen hatte und sie annahm, daß er damit füllig gemeint hatte.

Er hatte sie am Jungfernstieg nach dem Weg gefragt, und nach zwei Bier war er mit zu ihr gekommen. Siebenmal hatte er in ihrem Bett gelegen. Und dann hatte er gesagt: »Call me.«

Viermal hatte sie ihn heimlich nach Büroschluß vom Telefon ihres Chefs in Los Angeles angerufen. Jedesmal sagte er, er vermisse sie. Und sie sagte: »I miss you, too.«

Sie wachte auf, weil der Busfahrer sie anstieß. Als sie ausstieg, sah sie das Meer. Davor eine lange Reihe schütterer Palmen. Zwischen Marie und dem Pazifik lag die Autobahn. Der Highway One. Sie ging zum nächsten Telefon. Das amerikanische Freizeichen kannte sie aus Filmen. Auch wie amerikanische Telefone klingeln. So wie dieses Telefon jetzt in Daves Wohnung – oder Haus? – klingeln mußte.

»Hello«, sagte eine Männerstimme. Unter Marie gab der Asphalt nach. »It's me. Marie.«

Seine Stimme klang so nah, es fehlte der rauschende Atlantik zwischen ihnen. Er erkundigte sich nach ihrem Befinden, sie sagte wie immer »fine, fine«, er erzählte, er habe sie anrufen wollen, aber er sei ziemlich »busy« gewesen, und dann sagte er: »Schläfst du noch nicht?« Etwas müde sei sie schon, erwiderte sie, und er meinte lachend, das sei wohl jeder morgens um drei. Da erst begriff sie.

»Ich bin hier. Hier in Los Angeles.«

»Oh«, sagte er. Es entstand eine Pause. Die Palmen schwankten. Ein Mann im Trainingsanzug lief vorbei. Von fern rauschte der Pazifik. Dave schlug ein Treffen in vier Tagen vor. »Call me at six.« Marie sagte: »Fine.«

Sie legte auf, und es fing an zu regnen. Es goß in Strömen, ein kalter Wind fegte plötzlich über sie her, sie lief die Straße auf und ab und suchte eine Kneipe, einen Laden, irgendeinen Zufluchtsort. Es gab nichts.

Lange Palmwedel fielen vor ihr auf die Straße. In ihren Schuhen stand das Wasser. Der Mann kam wieder an ihr vorbeigelaufen. Sein heller Trainingsanzug war jetzt dunkel vor Nässe. Er sah sich nach ihr um. Marie bewegte sich nicht von der Stelle. Vielleicht hatte Dave sie verwechselt. Vielleicht war jemand mit im Raum gewesen, der nichts von ihr wissen sollte. Oder die, die nichts von ihr wissen sollte? Er hatte ihr in Hamburg nach dem ersten Bier erzählt, daß er geschieden sei.

Es gab drei Hotels in der Straße. Jedes etwa einen Kilometer vom anderen entfernt. Ihre Preise überstiegen Maries Möglichkeiten bei weitem. Die Portiers waren freundlich und beobachteten die Pfützen, die sich um Maries Füße auf den jeweiligen Teppichböden bildeten.

Als sie aus dem dritten Hotel wieder auf die Straße trat, war es dunkel geworden und der Regen hatte aufgehört.

Marie tat alles weh. Sie trottete langsam zur Bushaltestelle zurück. Außer ihr war kein Mensch auf der Straße. Sie würde versuchen, am Flughafen ein billiges Hotel zu finden. Ihre Zähne schlugen aufeinander, sie zitterte am ganzen Leib.

Um sich aufzuwärmen, hüpfte sie auf der Stelle und drehte sich im Kreis. Auf der anderen Straßenseite sah sie eine kaputte Neonschrift, von der nur noch drei Buchstaben leuchteten. ›The ...‹ Der Rest verschwand im Dunkeln. ›The Georgian‹ entzifferte sie, als sie direkt vor dem kleinen, leicht heruntergekommenen Gebäude stand. Sie öffnete die Eingangstür und atmete auf. Es war ein Hotel. Die Empfangshalle war rot tapeziert, rote, zerschlissene Sessel säuberlich nebeneinander aufgereiht. Auf einem roten, ausgetretenen Teppich ging sie, ohne einen Menschen zu sehen, auf die schwach beleuchtete Rezeption zu. Auch dort war niemand, aber eine große Klingel stand auf der Theke. Als Marie sie läutete, zuckte sie selbst zusammen.

Ein altersgebeugter Portier in einer abgetragenen blauen Livree kam aus einem Hinterstübchen, faßte sie ins Auge und schüttelte den Kopf.

Er sprach mit einem harten Akzent: »Wir vermieten keine Zimmer.«

»Ist das kein Hotel?« fragte Marie.

»Doch. Es ist sogar ein besonders schönes Hotel«, sagte der Portier und hielt sich mit beiden Händen an der Theke fest, als würde er sonst umfallen.

»Ist es belegt?«

»Fast.«

»Dann haben sie also noch Zimmer frei?«

»Ja«, sagte er, »aber wir vermieten nicht.«

»Ich brauchte dringend ein Zimmer. Für vier Tage.«

Der alte Mann sah sie ruhig an.

»Woher kommen Sie?« fragte er.

»Aus Deutschland. Ich bin heute angekommen...«

»Ach«, sagte der alte Mann jetzt auf deutsch, »aus Deutschland.«

»Ja«, sagte Marie und trat ungeduldig von einem Bein aufs andere, »und ich brauche ein Zimmer.«

»Mein liebes Fräulein«, er sprach langsam und betonte jedes Wort, »wir sind ein Hotel für alte Menschen, nicht für junge.«

Marie sah ihn verständnislos an. Umständlich, aber freundlich erklärte er ihr, dies sei eine Art Altersheim, und seit Jahren habe sich kein junger Mensch mehr hierher verirrt. Außerdem gäbe es nur Monatsraten, und für vier Tage könne er beim besten Willen nicht...

Nach einigem Hin und Her vermietete er Marie ein Zimmer für eine Woche zum Preis für eine Nacht in den anderen Hotels, die Marie abgeklappert hatte.

Der Fahrstuhl war gepolstert und hatte mehrere Haltegriffe in Hüfthöhe.

»Gute Nacht, mein Fräulein«, sagte der Portier. Sie traute sich nicht, ihm ein Trinkgeld zu geben.

Das Zimmer war fast eine ganze Wohnung mit Küche, Ankleide-, Wohn- und Schlafzimmer. Marie lächelte zum ersten Mal seit ihrer Ankunft in Los Angeles.

Um drei Uhr früh wachte sie auf, sah den Mond und erschrak. Er lag auf dem Rücken. Ungläubig ging sie ans Fenster. Er lag weiterhin auf dem Rücken, sah ganz und gar falsch aus. Marie starrte den falschen Mond an, dachte an Dave, und ob der Mond jetzt auch in sein Zimmer falsch herum scheinen würde. Kurz bevor sie wieder einschlief, fiel ihr ein, daß wegen des Äquators, weil die Erde sich dreht... sie fühlte sich ein bißchen so, als sei sie betrunken.

Um sieben Uhr früh schien die Sonne so, wie sie in Kalifornien zu scheinen hat, und Marie war sich nicht mehr sicher, ob sie den Mond wirklich falsch herum gesehen oder es nur geträumt hatte.

Sie hatte Hunger und fragte an der Rezeption nach dem Frühstücksraum. Der Nachtportier war von einem anderen, ebenso alten Mann abgelöst worden, der sie ungläubig ansah und ihr dann mit ausgestrecktem Arm den Weg wies.

Das Frühstückszimmer lag im Keller und war rot tapeziert wie die Eingangshalle. Auf jedem Tisch brannte eine kleine Lampe. Schüchtern nahm Marie auf einem der Ledersitze Platz.

Um sie herum saßen nur alte Leute. Eine alte Frau hielt eine Puppe im Arm und redete leise mit ihr. Ein alter Mann schob Schritt für Schritt ein Metallgerüst vor sich her.

Der Kellner, der an ihren Tisch kam, war dagegen blutjung, höchstens fünfzig. Sein Gesicht hellte sich auf, als er Marie sah.

»Besuch?« fragte er. Marie nickte, weil es ihr besonders am Morgen schwerfiel, englisch zu reden.

»Ich wünschte, ich wäre auch nur auf Besuch hier«, seufzte der Kellner.

»Ich schätze, Sie haben Ihre Zähne noch und wollen weder Haferschleim noch Grießbrei noch Brot ohne Kruste. Wie wär's mit Toast, Eiern und 'ner kräftigen Portion Speck?«

Marie nickte. »And coffee«, sagte sie leise.

»Kaffee mit Koffein!« sagte der Kellner laut und verschwand.

Die Frau mit der Puppe seufzte und flüsterte über den Tisch hinweg: »Sie mag heute gar nichts essen.« Marie nickte ihr zu.

Später wanderte sie die menschenleeren Straßen entlang auf den roten Kreis zu, den sie auf ihrem Stadtplan markiert hatte. Nach einer Stunde schien er ihr weiter entfernt als am Anfang. Ein Polizeiwagen hielt neben ihr. »What's your problem?« fragten die Polizisten. Sie war drauf und dran, ihnen von Dave zu erzählen. Sie mußte ihren Paß zeigen, was die Polizei davon überzeugte, daß ihr offensichtlich einziges Problem darin bestand, Ausländerin zu sein.

Als Marie nach drei Stunden an keinem einzigen Geschäft vorbeigekommen war und Daves Adresse so weit schien wie der Nordpol, ließ sie sich erschöpft auf einem Rasenstück in der Mitte der Straße nieder und wünschte sich sehnlichst ein Auto.

Eine Frau, die in ihrem Vorgarten stand und Blumen goß, rief ihr etwas zu. Marie stand auf und ging auf sie zu, da ließ die Frau den Gartenschlauch fallen und lief ins Haus. Marie zählte die Menschen, die ihr auf dem Heimweg entgegenkamen. Es waren dreizehn.

Der Fernseher in ihrem Zimmer war kaputt. Der Pazifik eiskalt. Das Buch, das sie für den Flug mitgenommen hatte, hatte sie bereits zweimal gelesen.

Der Fahrstuhlführer, ein dünner, etwa sechzigjähriger Mann, verriet ihr, daß er alte Leute hasse und jeden Tag drei Meilen laufe.

Am zweiten Tag saß sie in der Eingangshalle und sah stumm aufs Meer. Zwischen Frühstück und Mittagessen sahen alle stumm aufs Meer. Ein paar Frauen strickten oder lasen Magazine, zwei Männer spielten Schach, die meisten saßen bewegungslos da, sahen auf den Pazifik und warteten.

Marie spielte im Geist zum hundertsten Mal alle möglichen Erklärungen durch, warum Dave sie erst nach vier Tagen sehen wollte. Keine ergab einen Sinn. Nicht nach seinen Liebesbeteuerungen in Hamburg, die sie so von bisher keinem gehört hatte. Sie fragte sich, ob sie alle, weil sie auf englisch gewesen waren, falsch verstanden hatte. Aber dann hätte sie seinen Körper auch falsch verstanden, und der war beim besten Willen nicht falsch zu verstehen. Aber was ist schon der Körper?

Die alte Frau zog ihrer Puppe einen Badeanzug an.

Um halb eins erhoben sich alle und schuffelten ins

Eßzimmer. Marie blieb allein zurück und weinte ein bißchen.

Zweimal versuchte sie noch, sich an den Strand zu legen, um wenigstens einen Hauch von Bräune zurück nach Hamburg ins Büro mitzunehmen, aber jedesmal, wenn sie die Augen schloß, legte sich die Verzweiflung wie ein schwarzes Handtuch über sie, und so saß sie am Ende lieber mit all den Alten in der Eingangshalle des Hotels und wartete in Gesellschaft. Die Palmen, die Blumen und die Sonne, die entspannten Gesichter, die in glänzenden Autos lautlos an ihr vorüberrollten, vergrößerten nur ihr Unglück. Regen und Sturm wie am ersten Tag hätte sie besser ertragen als diese unentwegte Aufforderung, wenigstens wegen des immer gleich schönen Wetters glücklich zu sein.

In der Halle hing ein Münztelefon, und jeden Tag spielte sie mit dem Gedanken, Dave abermals anzurufen. Aber sie wußte nicht, was sie hätte sagen sollen. Vielleicht funktionierte das Telefon auch gar nicht, denn niemand benutzte es jemals.

Am vierten Tag wachte sie morgens um sechs mit Herzklopfen auf. Ihr Unglück war vergessen. Heute um sechs Uhr abends, wie versprochen, würde sie ihn anrufen, sie würden sich sehen, er würde sie um Verzeihung bitten und sagen: »I missed you.« Sie wusch sich die Haare, rasierte sich die Beine, legte verschiedene Kleidungskombinationen auf dem Bett aus, beschloß, sich später je nach Laune für die eine oder andere zu entscheiden, sie traute sich sogar in den düsteren Frühstücksraum, den sie nach dem ersten Tag gemieden hatte, und als der Kellner wieder provozierend laut »Kaffee mit Koffein« über die ganzen Alten hinwegposaunte, lächelte sie nur.

In der Eingangshalle nickte sie der Frau mit der Puppe freundlich zu, nahm ihren Platz ein – nach dem ersten Tag schon war es *ihr* Platz gewesen, der immer frei blieb, bis sie kam – und wartete geduldig von Minute zu Minute. Als der Himmel sich langsam rot färbte, es war fünf vorbei, kam ein junger Mann hereingestürzt. Langsam wendeten die Alten die Köpfe, sie beobachteten ihn, wie er kurz mit dem Portier sprach und dann zu dem Münztelefon ging. Unruhig trat er von einem Bein auf das andere, dann schrie er ins Telefon: »Ich liebe dich doch! Wie konntest du mir das antun!« Stumm starrten ihn alle an, manche legten die Hand ans Ohr, um besser zu hören.

»Vier Jahre willst du einfach so vergessen? Ich bitte dich, komm zurück! Hörst du? Ich kann ohne dich nicht leben!« rief der junge Mann, und Marie hatte all diese englischen Sätze schon hundertmal im Fernsehen gehört, sie kamen ihr vor wie auswendig gelernt. Keiner im Saal wendete den Blick von dem jungen Mann, sie alle hatten die Köpfe verdreht und lauschten gespannt.

»Ich würde alles tun, alles. Du kannst doch nicht einfach alles vergessen, die ganzen vier Jahre!«

Die Blicke, die auf ihn gerichtet waren, schien der junge Mann nicht wahrzunehmen. Er sprach immer lauter, und seine Verzweiflung unterstrich er durch große und pathetische Gesten.

»Ich liebe dich doch!« schrie er auf, dann hängte er ein, stand einen kurzen Moment bewegungslos da, bevor er genauso schnell, wie er hereingekommen war, den roten Läufer entlangeilte und verschwand.

Die Köpfe der Alten verfolgten ihn bis zum Ausgang, die Tür schepperte, dann war alles wieder ruhig, und alle sahen weiter aufs Meer.

Als Marie um zehn nach sechs mit schweißnassen Händen den Hörer des Münztelefons in der Hand hielt, drehte sie sich zur Wand und sprach so leise es ging. Es tue ihm wahnsinnig leid, sagte Dave, aber seine Mutter sei gekommen, er müsse sich um sie kümmern, sie sei eben eine alte Dame mit Ansprüchen, und ob sie sich dann vielleicht nächste Woche, dann aber ganz sicher sehen könnten? Es tue ihm, wie gesagt, ganz wahnsinnig leid, aber so sei sie immer, seine Mutter, sie komme einfach hereingeschneit, und dann müsse er sich um sie kümmern wie um ein Kind. Keine Minute wolle sie allein sein, ob er Marie nicht leid tue mit so einer Mutter? Zum Schluß sagte er: »Have fun.« Und Marie sagte leise: »Yes.«

Als sie auflegte und sich umdrehte, sah sie, wie die Alten sie über ihre Sessellehnen hinweg unbewegt ansahen. Die Puppe saß rittlings auf einem Kopfpolster und wackelte mit dem Kopf. Marie machte zwei Schritte nach vorn, die Köpfe wollten sich schon dem Meer zuwenden, die alte Frau nahm die Puppe herunter und küßte sie, da drehte Marie sich um und lief zum Fahrstuhl. Abermals drehten sich alle nach ihr um.

»Oh, wie ich sie hasse, diese Alten«, sagte der Fahrstuhlführer zu ihr.

Hollywood

Ich war vorher noch nie in Hollywood, geschweige denn auf einer Hollywood-Party. Ein blonder, braungebrannter Typ namens Bobo, den ich vor zwei Stunden in dem Szene-Café ›The Rose‹ in Venice kennengelernt habe, hat mich hierhergeschleppt. Er nennt sich Produzent und weiß, daß Richard Gere auf dieser Party auftauchen wird. Für den hätte er genau den richtigen Stoff. Film meint er wohl. Er fährt ein Porsche Cabrio. Ob ich mich nicht umziehen müßte für diese Party, habe ich gefragt, aber er meinte, das sei überhaupt nicht nötig, ich sähe so süß europäisch aus in meiner schwarzen Lederhose. Die habe ich mir extra noch vor meiner Abfahrt nach Amerika gekauft. Peter, mein Mann (ich sollte mich endlich dran gewöhnen, ihn meinen Ex-Mann zu nennen, aber wir sind noch nicht offiziell geschieden), fände sie sicher abscheulich. Auf seine Geschäftsreisen ins Lala-Land, wie Peter Los Angeles nennt, hat er mich nie mitgenommen, »da langweilst du dich nur, glaub's mir.« Die Abrechnungsbelege des American Express über literweise Champagner in der ›Polo Lounge‹ habe ich immer brav abgeheftet, bis ich mir irgendwann nicht länger vorerzählen konnte, Champagner sei sicherlich das typisch amerikanische Getränk für ein Geschäftsessen.

Und so bin ich jetzt allein im Lala-Land, 37 Jahre alt und fast geschieden. Aber Venice, wo ich am Strand in einem kleinen Motel wohne, gehört nicht wirklich dazu, es ist nur ein Vorort, wo all diejenigen sich herumtreiben, die auf eine Eintrittskarte ins echte Lala-

Land hoffen, auf eine Einladung zu einer Party wie dieser.

Sie findet in einer Suite des ›Chateau Marmont‹ statt, das ist ein Hotel, das aussieht wie eine Kreuzung aus Ritterburg und Neuschwanstein; an einen Berg geklatscht schwebt es wie eine Warnung vor Europa hoch über dem Sunset Boulevard. Dank der gelben, in Peters Hosentaschen fast bis zur Unlesbarkeit zerknitterten Belege des American Express kenne ich das ›Chateau Marmont‹ bereits. Gewohnt hat er hier nie, nur für ›Geschäftsgespräche‹ hat er hier sein (unser?) Geld ausgegeben.

Von der Terrasse der Suite aus sieht man über ganz Los Angeles. Ein riesiger Pappcowboy, der für Marlboro-Zigaretten wirbt, steht so nah davor, daß man ihn fast berühren kann. Lässig raucht er vor sich hin. Der letzte Raucher von Los Angeles; nur Europa, die dritte Welt und alte, unverbesserliche Cowboys vergiften sich weiterhin mit Nikotin.

Wie Glühwürmchen leuchten die roten Rücklichter der Autos in einem Schachbrettmuster aus Straßenlampen. Von hier oben sieht Los Angeles aus wie ein riesiger Flughafen für UFOs. Bobo hat schon mal welche gesehen, in der Wüste. Sie seien ganz dicht über ihn rübergeflogen, drei Stück.

»Sie haben deinen Porsche fotografiert«, sage ich und glaube, meinen ersten guten Witz auf englisch gemacht zu haben. Er meint, das sei durchaus möglich. Vor einigen Monaten seien Hunderte von Kühen verstümmelt aufgefunden worden. Die Marsmenschen hätten ihnen die Bäuche aufgeschlitzt und die Organe mitgenommen, und das sei »ein fact«.

Richard Gere ist noch nicht da. Ich habe ihn in Deutschland im Fernsehen in einem Film gesehen, wo er am Ende auf der Straße tanzt, während er erschossen wird. Das war wenige Tage nach Peters Auszug, als mir nur Fernsehen und Rotwein durch die Nächte geholfen haben.

Ich hätte mich doch umziehen sollen. Ich falle auf in meiner hautengen, schwarzen Lederhose und meinem löchrigen T-Shirt. Die Frauen tragen pastellfarbene Rüschenkleider mit viel Perlenstickerei, die in all ihrer beabsichtigten Unschuld nuttig wirken, die Männer glitzernde Jacketts, die sie aussehen lassen wie Quizmaster. Ich fühle mich plötzlich wie eine alternde Hippietante, dabei wollte ich nach acht Jahren nur da wieder anknüpfen, wie ich mit 29 war. Als Rechtsanwaltsfrau mit Gucci-Schuhen wäre ich hier unsichtbar, in Sicherheit. Man lächelt mir zu mit perfekt restaurierten Zähnen, und ich lese die zwei einzig möglichen Gedanken hinter diesem Lächeln: Was macht die denn hier? Entweder sie kann es sich leisten, dann müßte man sie eigentlich kennen, oder sie hat sich eingeschlichen, ein ›Party-crasher‹. Bobo hat jetzt auch so ein Quizmaster-Jackett an, das lag in seinem Kofferraum, er hat es, für alle Fälle, immer dabei. Als Produzent muß man flexibel sein, sagt er. Kellner in blütenweißen Livrees reichen kleine Häppchen herum. Neben mir sagt ein

Mann: »Nein danke, ich bin auf Diät.« Er ist dünn wie ein Streichholz. Überhaupt sind alle sehr dünn, sehr braungebrannt und sehr fit und in ihrem Alter wegen wahrscheinlich massiver Schönheitschirurgie schwer zu schätzen. Und alle reden vom Film. Sie hauchen sich Küsse auf die Wangen, während sie schon dem nächsten zulächeln, Satzfetzen wie »ein sehr spannendes Projekt«, »hervorragende Besetzung«, »brillante Kamera« strömen ihnen aus allen Knopflöchern, während sie mit ihren Blicken unruhig den Raum absuchen nach Berühmtheiten, potentiellen Geschäftspartnern, Leuten, mit denen sie *unbedingt* sprechen müssen. Den Frauen ist langweilig, das sieht man, sie lächeln gequält und stupide vor sich hin, ihre Männer sind auf der Jagd, und Bobo mitten unter ihnen. Allerdings ist er – noch – kein Großwildjäger, dazu wird er zu schnell stehengelassen, zu schnell wandern die Blicke seiner Gesprächspartner von ihm weg über seine Schulter zu lohnenderer Beute. Er kommt zu mir. »Langweilige Party«, sagt er, »alles nur Agenten, Anwälte und Manager.« Und während er das sagt, sieht er mir über den Scheitel, und sein Blick leuchtet plötzlich auf. Ein kleiner, grauhaariger Mann ist eingetroffen, ich sehe ihn nur für den Bruchteil einer Sekunde, dann ist er umzingelt von Partygästen.

»Er ist da«, flüstert Bobo, »Richard Gere's Agent. Dann kommt Richard auch bald!« Er springt auf und stellt sich in der Gruppe um Richard Gere's Agenten an wie in einer Schlange vor einer Kaufhauskasse. Das Telefon klingelt, was keiner zu beachten scheint.

Da es direkt neben mir steht, gehe ich schließlich dran. Eine Frauenstimme sagt: »Laufen Sie Ski?« »Manchmal«, sage ich, »wen möchten Sie denn sprechen?« »Jemanden, der Ski läuft, natürlich.« Ich sage laut in den Raum: »Hier ist jemand am Telefon, der einen Skiläufer sprechen will.« Alles verstummt und sieht mich an. Eine Dame um die vierzig mit Sonnenbrand auf dem Dekolleté kichert und sagt zu mir: »Laufen Sie denn nicht Ski?« »Naja«, sage ich, »ab und zu. In den Alpen.« Die Partygesellschaft bricht in grölendes Gelächter aus, »in den Alpen«, keuchen sie, »habt ihr das gehört, in den Alpen!« Bobo kommt mir zu Hilfe. Er nimmt den Hörer und sagt: »Hören Sie, hier gibt's nur eine Dame, die in den Alpen skiläuft, ansonsten muß ich Sie enttäuschen.« Erneut brandet eine Woge von Lachen auf, ein Mann biegt sich vor Vergnügen und muß sich an einem Stuhl festhalten. Ich sehe jetzt auch wieder Richard Gere's Agenten, der schlagartig an Interesse verloren zu haben scheint, alles hat sich von ihm ab und Bobo zugewendet. Stolz sieht Bobo in die Runde. Er hält den Hörer zu und sagt: »Eine Frau aus dem Zimmer von nebenan ist dran. Sie fragt, ob nicht jemand Lust hat, zu ihr rüberzukommen und Ski zu laufen.« Die Frau mit dem verbrannten Dekolleté ruft: »Da schicken wir doch unsere Alpenfahrerin hin!« Bobo sagt ins Telefon: »Wären Sie an der Dame interessiert, die nur in den Alpen skiläuft?« Das Lachen verstummt, gespannt beobachten alle Bobo. Wieder hält er den Hörer zu: »Ein skilaufender Mann wäre ihr lieber.« »Hoho«, blökt der kleine Agent von Richard Gere in einem für seine Größe erstaunlich tiefen Baß, «das klingt schon interessanter. Ein Mann! Nähere Angaben über Alter, Beruf und Einkommen?« Bobo fragt ins Telefon: »Haben Sie genauere Vorstellungen, was für ein Mann?«, und nach einer längeren Pause, die die Partygäste schon ganz zappelig werden läßt vor Neugier, sagt er ins Telefon »wir werden sehen«, und legt auf. »Um die dreißig, möglichst groß, Typ Surfer soll er sein«, berichtet er. »So wie Sie«, ruft eine besonders dünne, durchtrainierte Frau, und das stimmt, genauso sieht Bobo aus, und plötzlich ruft alles durcheinander, »ja, Sie müssen gehen!« »Oh, bitte!« »Tun Sie uns doch den Gefallen!« »Gehen Sie rüber und erzählen Sie uns!« Bobo wehrt lachend ab. »Ich laufe doch gar nicht Ski«, sagt er. »Das tut doch keiner von uns«, sagt ein Mann mit blankpolierter Glatze, und alle kichern. »Sie müssen gehen! Wer weiß, vielleicht erleben wir heute abend die Handlung zu einem ganzen Spielfilm«, und der kleine Agent fällt ein, »die Eröffnung ist gar nicht übel: Party. Ein Anruf. Eine Frau von nebenan will einen Mann.« »Zum Skilaufen!« wirft ein anderer ein. »Ja, ja«, sagt spitz eine Frau in Blaßlila. »Und wer kriegt dann die Rechte an unserem Spielfilm?« ruft ein Mann, dessen Gesicht so schrumpelig aussieht wie ein Bratapfel. »Mac«, sagt der Agent, »das wird der komplizierteste Vertrag in deiner Geschichte als Anwalt.«

»Also los«, sagt die dünne Durchtrainierte zu Bobo,

»gehen Sie schon.« Bob grinst verlegen, und dann geht er wirklich. Die Partygäste bilden ein Spalier bis zur Tür, und kurz bevor er aus dem Zimmer ist, wendet sich Bobo noch einmal um, so wie sich in allen amerikanischen Filmen alle Schauspieler noch einmal mit einer letzten Pointe umdrehen, und sagt: »Ich möchte aber die Franchising-Rechte«, und offensichtlich war das eine gute Pointe, denn wieder lacht alles. Der Bratapfel kommt auf mich zu. »So, so, in den Alpen laufen Sie Ski«, und dazu grinst er blöde. »Könnten Sie mir freundlicherweise mal erklären, was es hier mit dem Skilaufen auf sich hat?« sage ich zu ihm, und da fängt er an zu schreien vor Lachen, daß sich erneut alle zu mir umdrehen, mühsam bringt er hervor: »Die Dame hier erkundigt sich, was es mit dem Skilaufen auf sich hat«. Die dünne Durchtrainierte fragt mich, woher ich komme, und meine Antwort darauf läßt sie sagen, »Deutschland, ach so. Sie wissen's wirklich nicht. Ich dachte, Sie hätten einen besonders guten Witz gemacht.« »Das mit den Alpen war Spitze«, sagt der Bratapfel, und dann flüstert er mir ins Ohr: »Skilaufen heißt koksen.«

Alle sehen zu, wie mir ein Licht aufgeht. Der Agent von Richard Gere brüllt: »Ist doch aber sehr erfrischend, mal jemanden kennenzulernen, der noch richtig in den Alpen skiläuft«, und jetzt haben sie eine Gruppe um mich gebildet und ich soll ihnen wohl von den Alpen erzählen, von Kuckucksuhren und Schweizer Schokolade. Aber bevor ich dazu komme, geht die

Tür auf und Bobo kommt zurück. »Ich brauche einen Drink«, sagt er, und sofort wird ihm einer gebracht. Wie Kinder in der Märchenstunde hängen alle an seinen Lippen. Bobo macht eine Kunstpause. »Also«, sagt er langsam. »Rein in die Handlung!« schreit der Agent von Richard Gere.

»Also«, sagt Bobo, »es ist ein Ehepaar. Der Mann etwas dicklich, Glatze, sie gutaussehend.« »Genauer!« ruft jemand. »Sie ist so Anfang dreißig, rote Haare, gute Figur«, fährt Bobo fort, »beide sind – nackt. Sie trägt nur eine Perlenkette. Eine lange Perlenkette. Echt, glaube ich. Es ist ihnen langweilig. Sie suchen einen Dritten.« Bobos Publikum seufzt leise vor Spannung. »Und?« fragt die Frau in Lila. Bobo zuckt die Achseln. »So geht's aber nicht«, sagt die Dünne, »wir wollen doch wissen, wie es weitergeht.«

»Moment mal«, wirft Bobo ein.

»Ja, wir wollen wissen, wie es weitergeht!« rufen zwei Frauen, die identisch angezogen sind und aussehen wie Zwillinge, im Chor und kichern aufgeregt. »Ja, ja, ja!« kreischt das verbrannte Dekolleté. Die Frauen führen sich plötzlich auf wie bei einer Pyjamaparty im Landschulheim. Sie umringen den sichtlich geschmeichelten Bobo und beknien ihn, wieder nach nebenan zu gehen. »Sie müssen einfach!« höre ich eine sagen, »das war ja nur wie eine Vorschau auf den Hauptfilm.« Ich fange zufällig den verwunderten Blick ihres Ehemanns auf.

Überhaupt halten sich die Männer jetzt vornehm

zurück. Sie lächeln weiter, aber sie sind verunsichert. Und plötzlich begreife ich die Aufgeregtheit der Frauen. Sie kennen die Einführung des Films, der hier gespielt wird: Mann verabschiedet seine Frau, er muß zu einem dieser schrecklich langweiligen Geschäftsessen, »Schatz, es kann spät werden, geh nur schon ins Bett. Was hast du's gut, daß du da nicht hinmußt«, und sie kennen das Ende, Abrechnungen der Kreditkarteninstitute über Champagner und teure Dinner. Aber Bobo kann ihnen vielleicht erzählen, was wirklich in der Mitte des Films geschieht. Und das vor ihren Männern! Wie ein Kind, das Familiengeheimnisse ausplaudert. Eine eher unscheinbare Frau in einer Wolke aus rosa Organza drückt Bobo eine Flasche Moët Chandon in die Hand, und Bobo weiß, was es kostet, plötzlich im Mittelpunkt der erlauchten Handvoll von Hollywood zu stehen. Er darf jetzt nicht aussteigen.

Er steht auf, lächelt ein bißchen blöd in die Runde, ein passender Witz will ihm nicht so recht einfallen. »Na dann«, sagt er. Kaum ist er aus dem Zimmer, kommt die rosa Organzawolke auf mich zugeschwebt. »Wie heißt eigentlich Ihr Freund?« fragt sie. Sie wartet kaum meine Antwort ab, um dann die wirklich wichtige Frage zu stellen: »Und was macht er so?« »Er ist Produzent«, sage ich. Darauf verzieht sie ihren mit viel Lipgloss bemalten Mund wie Lippen in Aspik zu einem ironischen Lächeln. »Ach ja?« sagt sie und will sich schon abwenden, da kommt ihr Mann und legt ihr seinen Arm um die Schulter. Sie dreht sich mir wieder zu, als seien wir in ein Gespräch vertieft gewesen, und sagt, »und Sie lassen Ihren Freund so einfach gehen? Naja, er tut es wenigstens offen, nicht wahr?« Ihr Mann nimmt seinen Arm von ihrer Schulter, als hätte er sich verbrannt, und gibt vor, seinen Drink zu suchen. Ich habe für die Organzawolke meinen Zweck erfüllt, sie schwebt davon. Mir wird plötzlich klar, daß ich jetzt die einzige Frau ohne Mann im Raum bin, da sich auf einmal überall Paare bilden, ganz offensichtlich Ehepaare. Die Männer apportieren bei ihren Frauen, als wollten sie ihnen sagen, »hör mal, du glaubst doch nicht etwa, daß ich jemals so etwas gemacht habe. Ich doch nicht.« Die wenigen Männer, die allein gekommen sind, und ich sind plötzlich aussortiert.

Lose über den ganzen Raum verteilt stehen wir in den Ecken herum und danken unserem Schicksal dafür, daß wir dieses Spiel nicht mitzuspielen brauchen. Ich spüre plötzlich Peter neben mir, wie er seine Hand auf meinen Nacken legt und zu mir sagt, »ich? Da brauchst du dir wirklich keine Sorgen zu machen. Ich hab doch dich. Und attraktiv finde ich die Amerikanerinnen nun wirklich nicht.«

Wie eine Kanonenkugel kommt Bobo in den Raum zurückgeschossen, und sofort lösen sich die Paare, die Frauen stürzen auf ihn zu, es wird ihm ein Drink gereicht, er läßt sich in einen Sessel fallen.

»Sie will, daß ich sie mit ihrer Perlenkette schlage«, platzt er heraus. »Und haben Sie's getan?« fragen zwei Frauen gleichzeitig. Bobo schweigt. Die Frauen beob-

achten ihn gierig, die Männer treten unruhig von einem Bein aufs andere. Die Stimmung im Raum ist hochexplosiv, es fehlt nur das Streichholz. Das besorgt die Dünne. Laut und deutlich sagt sie: »Hat jemand ein Kondom dabei?« Die Männer lachen laut und lange, als wären sie professionelle Lacher in einer Soap-Opera, die Frauen kreischen »Ein Kondom! Ein Kondom!«, Bobo wird rot und schüttet einen weiteren Drink in sich rein. Weil sonnenklar ist, daß keiner der Anwesenden zugeben wird, eins bei sich zu tragen, ruft die Organzawolke schrill: »Dann rufen wir eben den Zimmerservice an!« und schreitet zum Telefon. »Das kannst du doch nicht machen«, sagt ihr Mann und kichert zur Tarnung. »Sind das nun die 80er Jahre oder nicht?« schreit die Dünne. Der Mann der Organzawolke nimmt ihr den Hörer aus der Hand. »Das könnt ihr doch mit ihm nicht machen«, sagt er und deutet auf Bobo, der in seinem Sessel hängt und glasig vor sich hinstiert. Erwartungsvoll sehen ihn die Frauen an. Wird er jetzt kneifen und zur Strafe die nächsten zehn Jahre am Strand von Venice zubringen, oder wird er kämpfen um seinen Platz in der Geschichte der Hollywoodparties als der Mann, der doch tatsächlich... »Ich hab ein Kondom«, sagt Bobo. Daraufhin schwenken alle Frauen ihre Köpfe zu mir wie bei einem Tennismatch, manche sehen mich mitleidig an. Bobo zieht ein Kondom aus der Tasche und legt es auf den Tisch. Er sieht in die Runde wie ein Zauberer, bevor er den Zylinder über dem weißen Kaninchen lüftet, und ganz

langsam sagt er: »Das kostet.« Ach, ein echter Bewohner von Lala-Land. Die Frauen klatschen in die Hände vor Begeisterung, die Männer achten Bobo plötzlich, Geschäft ist Geschäft, sie lächeln den Bruchteil einer Sekunde lang. Das verbrannte Dekolleté nimmt eine Blumenvase mit einem Rosenbouquet, schüttet den Inhalt auf die Terrasse und stellt die leere Vase vor Bobo auf den Teppich. »Wie hoch ist der Einsatz?« fragt sie ihn. »Hundert Dollar!« ruft sie wie ein Marktschreier, »hundert Dollar!«

Die Organzawolke wühlt in ihrer Handtasche und wirft den ersten Schein in die Vase. Sie wird mit heftigem Applaus bedacht. Sie scheint aber die einzige zu sein, die eigenes Geld dabei hat, und so eilen die Ehefrauen zu ihren Ehemännern, und mit peinlich berührtem Grinsen ziehen die ihre Brieftaschen heraus. Sie haben keine Wahl. Sie müssen zahlen oder mit ihren Frauen diskutieren. Jeder zahlt. Die Vase füllt sich mit grünen Scheinen, Bobo strahlt. Heute nachmittag hat er mir die Grundregel zum Erfolg erklärt: Wenn du es wirklich schaffen willst, mußt du bereit sein, Scheiße zu fressen. Er will das Geld in die Tasche stecken, aber die Organzawolke entreißt ihm die Vase, drückt sie gegen ihren Busen und konstatiert kühl: »Gezahlt wird erst bei Abnahme des Drehbuchs.«

Die Frauen kreischen vor Vergnügen, ihre Männer, die Anwälte, Agenten und Manager lachen höflich. Bobo bekommt noch einen Drink mit auf den Weg. Die Frau in Lila steckt ihm fast mütterlich besorgt das

Kondom in die Tasche. Die Dünne skandiert eine Art Kampfgesang wie bei Footballspielen, sie hüpft auf und ab, ihre aerobicgestählten Brüste hüpfen widerwillig mit, die anderen Frauen fallen mit ein.

Und wieder dreht Bobo sich noch einmal um, bevor er die Tür hinter sich zuzieht. Er winkt, wie nur Amerikaner winken, er beschreibt mit dem ganzen Arm einen Halbkreis und kommt dann zu einem abrupten Halt.

Ich lese die Rosen von der Terrasse auf. Sie haben keine Dornen. Keiner bemerkt, als ich gehe.

Der Sunset Boulevard ist menschenleer. In Hollywood geht man früh ins Bett. Ich wandere vorbei an den Edelrestaurants, den paar Straßencafés, in denen man mitten in Los Angeles so tun kann, als sei man in Rom oder Paris. Von ferne leuchtet der Marlboro-Mann. Leise schnurren die Autos an mir vorbei. Die Insassen verdrehen sich die Köpfe nach mir. Ein Mercedes-Cabrio hält schließlich an. Sein Fahrer ist um die dreißig, blond und braungebrannt. Er nimmt mich mit nach Venice. »Aus Europa sind Sie«, sagt er, »das habe ich mir gedacht. Nur Nutten und Europäer gehen in dieser Stadt zu Fuß.«

»Lassen Sie mich raten, was Sie beruflich machen«, sage ich, »Sie sind Produzent.« Er sieht mich verblüfft an.

»Ja«, sagt er, »haben Sie Lust, auf eine Party mitzukommen?« Und als ich schweige, fügt er hinzu: »Richard Gere kommt auch.«

Ohne Gepäck

Ich war froh, ein Abteil für mich allein ergattert zu haben. Als erstes zog ich die Vorhänge vor, um andere davon abzuhalten, hereinzukommen. Als der Zug sich endlich in Bewegung setzte, war ich immer noch allein. Ich zog die Schuhe aus und legte mich hin. Die acht Stunden bis nach Hamburg wollte ich durchschlafen. Vom Flughafen aus wollte ich meine Eltern anrufen und ihnen sagen, ich hätte meinen Anschlußflug nach Hannover verpaßt und würde in München übernachten. Ich hatte kein deutsches Kleingeld, und so würden sie jetzt also in Hannover am Flughafen vergeblich auf ihren Sohn warten. Ich hatte nicht die geringste Lust, sie wiederzusehen, selbst nach zwei Jahren in Amerika nicht. Ich hatte überhaupt keine Lust, wieder hierzusein. Ich wollte als ersten deutschen Menschen Marita in Hamburg sehen. Die war nicht so unerträglich deutsch, oder war es wenigstens damals nicht gewesen. In den zwei Jahren hatte ich gelernt, wie ein Amerikaner zu reagieren. Als sich der Kapitän der Lufthansamaschine über Mikrophon meldete, fühlte ich mich an die Nazi-Schweinehunde in amerikanischen Fernsehserien erinnert und an sonst gar nichts.

Nein, ich hatte nicht zurückgewollt.

In Augsburg riß eine Frau die Abteiltür auf und setzte sich wortlos hin. Sie fragte weder, ob noch ein Platz frei sei, noch sagte sie Guten Tag. Ich drehte mich mürrisch auf die andere Seite und konnte nicht mehr einschlafen. Ich fühlte mich beobachtet. Ich setzte mich auf. Sie war vielleicht Anfang dreißig, füllig, mit einem recht hübschen, klaren Gesicht. Ihre Augen waren leicht geschwollen. Sie trug lange, silberne Ohrringe, die leicht im Rhythmus des Zuges hin- und herschaukelten. Ich sah kein Gepäck und war erleichtert. Sie konnte nicht weit fahren. Ihre Handtasche hielt sie umklammert, als habe sie Angst, ich wolle sie ihr entreißen. Als sich unsere Blicke zufällig trafen, sah sie schnell weg. Ich sah kleine Schweißperlen auf ihrer Stirn.

»Kann ich vielleicht das Fenster etwas öffnen«, fragte sie mit leiser, aber bestimmter Stimme.

Wenn ich jetzt antworte, erzählt sie mir ihr Leben, dachte ich. »I'm sorry, I don't speak German.«

Sie wiederholte ihre Frage. »Se window. Can I open?«

Ich nickte. Sie hielt den Kopf aus dem Fenster. Ihre Haare flatterten. Mir wurde kühl. Ich zog meine Jacke über. Sie schloß das Fenster und setzte sich wieder hin.

Ich wollte schon meine Zeitungen auspacken, da fiel mir ein, daß ich nur deutsche dabeihatte. Ich ging nach draußen, um zu sehen, ob ich ein anderes leeres Abteil finden würde. Aber selbst in der ersten Klasse waren alle belegt. Als ich zurückkam, tupfte sie sich mit einem Taschentuch die Augen. Die Sonne ging unter.

Ein Mann in einer orangen Jacke kam mit einem Wagen vorbei und verkaufte Brote und Getränke.

»One coffee, white, and a salami sandwich«, sagte ich zu ihm. Er sah mich verständnislos an. »Einen Kaffee und ein Salamibrot«, übersetzte sie für mich. »Was er mit weiß meint, weiß ich auch nicht.«

»With milk«, sagte ich. Sie lächelte mich kurz an. Danach war ich nicht sicher, ob sie überhaupt gelächelt hatte, denn es war sofort wieder vorbei, als hätte sie einen Vorhang zugezogen. Sie starrte ausdruckslos aus dem Fenster. Ich drehte das Licht im Abteil an. »Sis is better«, sagte sie, drehte es wieder aus und knipste mir die kleine Leselampe über meinem Kopf an. Sie saß im Dunkeln. Ihr Gesicht konnte ich kaum mehr erkennen.

»You are from America?«

»Yes.«

»Where?«

»New York.«

»It's a dangerous city, no?«

Ich hätte mich dafür ohrfeigen können, daß ich behauptet hatte, kein Deutsch zu sprechen. Jetzt würde sie mir in ihrem grauenhaften Englisch dennoch ihr Leben erzählen.

»Ich sprechen ein bißchen Deutsch«, sagte ich mit stark amerikanischem Akzent.

»Aber Sie haben doch vorher gesagt...«

»Ich bin bißchen schüchtern. Habe lange nix gesprecht.«

»Dafür sprechen Sie aber gut. Wo haben Sie das gelernt?«

»Meinen Eltern sind Deutsche.«

Sie schwieg. Ich betete, sie möge nichts mehr sagen.

»Emigranten?« fragte sie. Ich antwortete nicht, um mich nicht noch tiefer zu verstricken.

»Mein Großvater ist im KZ gestorben«, sagte sie. »Er war Kommunist.«

Der Zug hielt. Sie stieg nicht aus. Wie konnte man über vierhundert Kilometer ganz ohne Gepäck reisen? Und noch dazu als Frau? Ihre Handtasche war winzig, da paßte noch nicht einmal ein Kulturbeutel rein.

»Ich habe nur Glück gehabt mit meinen Eltern, wissen Sie? Es ist reiner Zufall, daß sie keine Nazis waren... ich habe mich immer gefragt, wie das sein muß, von heute auf morgen alles verlassen und nicht wissen, ob man jemals wieder zurückkommt.«

»Seien Sie froh, daß es nicht so ist, heute«, sagte ich, und mein künstlicher, amerikanischer Akzent ging mir auf die Nerven. Er klang leichtfertig, ignorant und blöd.

»Es könnte aber wieder so werden.«

»Meinen Sie?«

»Ich weiß nicht.«

Plötzlich saß sie neben mir und lehnte ihren Kopf an meine Schulter. Sie war mir sympathisch. Sie war mir sympathisch durch das, was sie gesagt hatte. Sie war keine typische Deutsche. Ich bewegte mich nicht. Sie seufzte, und ich sah einen Tropfen auf die roten Plastiksitze zwischen uns fallen. Ich legte meinen Arm um sie.

»Warum weinen Sie denn?«

»Ich möchte nicht drüber sprechen«, sagte sie und legte ihre Hand auf mein Knie. Ich ergriff sie und hielt sie fest. Man hätte uns für ein Liebespaar halten können.

»Machen Sie Ferien in Deutschland?« fragte sie in bemüht leichtem Konversationston.

Ich rede nicht gern über mich. Ihr habe ich alles erzählt. Vielleicht, weil sie geweint hatte. Ich erzählte ihr meine ganze dumme amerikanische Liebesgeschichte in gebrochenem Deutsch. Nach einer Weile fand ich Gefallen daran, Wörter falsch auszusprechen, sie nach dem richtigen Ausdruck zu fragen, zu stammeln.

Ich war gezwungen, meine Leidensgeschichte mit einem Zweihundert-Wörter-Vokabular vor ihr auszubreiten, und je länger ich sprach, desto klarer wurde mir meine eigene Geschichte. Mit Cathy hatte es eigentlich von Anfang an keine Hoffnung gegeben.

»Wegen einer Frau verlassen Sie Ihr Land?«

»Ja«, sagte ich, »nur wegen eine Frau. Zerbrechtes Herz.«

Sie küßte mich. Ich knipste die Leselampe aus.

Sie zog die Sitze aus und machte das Abteil zu einem großen Bett. Wir hielten uns und küßten uns und hielten uns.

Als ich aufwachte, dachte ich für einen Moment, Cathy läge neben mir. Sie strich mir mit der Hand über die Augen.

»Nicht weinen«, sagte sie. »Es gibt Schlimmeres.«

Sie wollte das Rollo hochschieben.

»Nicht«, sagte ich.

»Wir sind bald da.«

»Ich möchten so bleiben. Nie aussteigen«, sagte ich.

»Das geht nicht.« Sie lachte zum ersten Mal in dieser Nacht. Wir waren in Hamburg.

Sie schob die Sitze zurück und ließ das Rollo hoch. Ihre Handtasche hielt sie umklammert, sie sah mich an.

»Warum hast du kein Gepäck?« fragte ich leise. Sie sah zu Boden, hob dann den Kopf und sah mir gerade in die Augen.

»Ich gehe nur Zigaretten holen«, sagte sie.

Ich tat, als sei mir der Begriff unbekannt.

»Ich habe drei Kinder und einen Mann. Gestern abend bin ich aus dem Haus gegangen ... Einfach so.« Sie sah erstaunt aus.

Wir gingen zusammen den Bahnsteig entlang. Ich wollte ihr alles sagen. Daß ich gar nicht Amerikaner bin, daß meine Eltern keine Emigranten sind, daß ich deutsch spreche. Daß die Geschichte von Cathy eine wahre Geschichte ist.

Als ich mich umdrehte, war sie verschwunden. Ich wartete eine halbe Stunde. Dann rief ich Marita an. Sie war nicht zu Hause.

Ich suchte in meinen Taschen nach einer Zigarette. Ich fand einen langen, silbernen Ohrring.

Das Sofa

Sie hatte die Angewohnheit, alles zurückzulassen und nur mit einer Plastiktüte auszuziehen. Sie verließ ihre Männer, lange bevor sie auszog. Die Männer waren dann immer sehr erstaunt und konnten sich nicht erklären warum. Warum gerade jetzt? Spock fing an, Schach zu spielen, während Linda ihren Paß einsteckte, Zahnbürste und Schminksachen, ein paar Kleidungsstücke und ihre liebsten Stöckelschuhe. Sie hatte ihn von Anfang an Spock genannt, weil er lange spitze Ohren hatte wie Spock in der Fernsehserie ›Raumschiff Enterprise‹.

»Wir hatten ganz schöne Zeiten, was?« sagte er, und nur an der Art, wie er die Dame auf dem Schachbrett umklammert hielt, konnte Linda ablesen, daß er irgend etwas empfand.

»Wir hatten manchmal ganz schöne Zeiten«, sagte sie.

Die stickige Luft im ›Möbel-Paradies‹ bereitete ihr leichte Übelkeit. Mißmutig schoben Paare an ihr vorbei, manche zogen nörgelnde Kinder hinter sich her, ermattet ließen sie sich auf Bett und Sofas fallen, studierten die Kataloge, die Männer klappten Zollstöcke auf und zu und wiegten bedenklich das Haupt, die Frauen befühlten die Stoffe und testeten die Stabilität der Möbel, die Kinder saßen schreiend auf dem Boden oder wurden von den Verkäufern daran gehindert, auf den Betten herumzuspringen. Linda konnte sich nur an einen einzigen Mann erinnern, mit dem es Spaß gemacht hatte, einkaufen zu gehen. Ansonsten hatten sie nicht zueinander gepaßt.

Sie steuerte auf ein schwarzes Sofa mit roten Armlehnen, gelben Kissen und blauen Füßen zu, setzte sich und beobachtete Moses, der hingebungsvoll seit mindestens zwanzig Minuten Teppichmuster studierte. Sie nannte ihn Moses, weil er so weise war. Seine Weisheit hatte ihn auch davor bewahrt, einen Streit mit seiner Frau über die Aufteilung der Möbel anzufangen. Linda hatte sie nur ein einziges Mal gesehen, als Moses gemeint hatte, es sei angebracht und erwachsen, seiner Frau seine neue Lebensgefährtin vorzustellen. Seine Frau hatte einen Tisch mit Möbelpolitur eingerieben, Moses hatte über Finanzen geredet und Linda einen Orangensaft getrunken. Die Möbel mochte sie nicht. Sie waren dunkel und antik.

Moses kam auf sie zu und lächelte.

»Das Sofa ist nicht dein Ernst«, sagte er.

»Es sieht japanisch aus«, sagte Linda.

»Postmodern.«

»Ich mag japanisches Essen, und ich mag dieses Sofa.«

Er setzte sich neben sie.

»Es ist unbequem.«

Er nahm Linda bei der Hand und stand auf.

»Aber wir werden uns deshalb nicht streiten.«

»Nein«, sagte sie.

Er entschied sich für ein graues Ledersofa. Es paßte zu seinen Flanellhosen. Linda fand es kalt und ungemütlich, aber das sagte sie nicht. Sie saß sowieso lieber auf dem Boden. Wie ein Araber, fand Moses. Deshalb kauften sie jetzt ein Sofa. Als sie sich aus dem grauen Ledersofa erhoben, sah Linda ein Schild an der Armlehne: ICH BIN LEIDER NICHT DA.

»Was soll das heißen, ich bin leider nicht da?« sagte Moses.

»Sie haben es nicht vorrätig. Das japanische ist da.«

Wenn er wütend wurde, fing er an zu lächeln.

»Linda, Schatz, das japanische ist vielleicht da, aber es ist nicht für uns da.«

»Warum?«

»Weil ich es, mit Verlaub, geschmacklos finde, und über Geschmack läßt sich nicht streiten.«

Er sagte immer »mit Verlaub«, wenn er keinen Widerspruch duldete. Das war zuerst Spock aufgefallen, nicht ihr. Sie hatten jahrelang miteinander Schach gespielt, ohne dabei Freunde geworden zu sein. »Wenn er noch einmal zu mir sagt, ›das war, mit Verlaub, kein guter Zug‹, bringe ich ihn um«, hatte Spock, der gegen Moses meistens verlor, immer gesagt.

Spocks Unhöflichkeit war ihr auf den Nerv gegangen, und Moses' Höflichkeit fing an, ihr heute, in dem verdammten Möbelparadies, auf die Nerven zu gehen.

Moses suchte die nächste Verkäuferin, um zu fragen, ob das graue Ledersofa wirklich nicht vorrätig sei. Er liebte langwierige Diskussionen, Linda mochte noch nicht einmal Leute nach dem Weg fragen. Sie verirrte sich lieber, als langen Erklärungen zuzuhören, die sie dann doch nicht behielt.

Moses würde in einer fremden Stadt das Hotel niemals ohne Stadtplan verlassen, da war sie sicher, und sie verlor jetzt schon jede Lust, jemals mit ihm zu verreisen.

Auf Reisen hatte sie sich mit Spock immer am besten vertragen. Fast ohne Gepäck waren sie um die halbe Welt gereist, ohne Plan, ohne Ziel. Tagelang hatten sie auf irgendwelchen Flughäfen herumgesessen, weil sie sich nicht vorher nach den Abflugzeiten erkundigen mochten, ihre Reisen bestanden zum größten Teil daraus, irgendwo zu stranden und darauf zu warten, wie es weiterging.

Jede Liebe hat ein Bild von sich. Spock und Linda an einer verlassenen Bushaltestelle mitten im Dschungel, er mit einem Reiseschach auf den Knien, ihr Kopf an seiner Schulter, wartend. So ungefähr sähe das Bild ihrer fünfjährigen Liebe aus. Sie würde es über das japanische Sofa an die Wand hängen.

Linda schlenderte langsam in die Küchenabteilung und überließ Moses der Verkäuferin, die zusehends unter Moses' Charme zerfloß und alles möglich machen würde.

Spock war auf Reisen nicht anders gewesen als zu Hause. Das hatte sie nur lange nicht begriffen. Er wartete. Sein ganzes Leben bestand aus Warten. Zu Hause wartete er auf Gefühle, die Linda anfangs bereitwillig und im Übermaß lieferte, auf Reisen wartete er auf

Busse und Flugzeuge. Das war der einzige Unterschied.

Moses haßte Warten. Er versuchte so weit wie möglich zu verhindern, in eine Situation zu geraten, die ihn zum Warten zwingen würde. Linda brauchte sich nur zurückzulehnen und zu warten, was Moses mit ihr Tag für Tag anstellen würde. Möbel kaufen zum Beispiel. Es war angenehm, wenn jemand anders das Leben organisierte. Linda konnte Spock jetzt verstehen.

Als sie aus der Küchenabteilung wieder zurück zu den Sofas schlenderte, waren Moses und die Verkäuferin verschwunden. Sie beschloß, sich auf das japanische Sofa zu setzen und zu warten.

Dort saß Spock. Seine Haare waren kürzer. Seine Hosen sauberer.

Er sah sie erst, als sie vor ihm stand. Sie setzte sich neben ihn.

»Gefällt dir dieses Sofa?« fragte Spock.

»Ja«, sagte sie, »es ist geschmacklos.«

»Mit Verlaub«, sagte er.

Sie lächelten beide. Kurz.

»Wie geht es dir?« fragte sie.

»Sie mag unsere Möbel nicht.«

»Sie mag unsere Möbel nicht?«

»Nein«, sagte er. »Sie findet sie geschmacklos.«

»Sind sie ja auch«, sagte Linda.

»Deshalb haben sie uns so gut gefallen.«

»Mir. Mir haben sie deshalb gefallen. Ich hab sie gekauft, nicht du.«

»Stimmt«, sagte er.

»Du kannst sie abholen, wenn du willst. Sie gibt sie sonst auf den Sperrmüll.«

»Ich will sie nicht«, sagte Linda.

»Mit Verlaub«, sagte Spock.

»Idiot.« Sie legte ihre Hand auf sein Knie.

»Und weiter?« fragte er.

»Weiter nichts.« Sie nahm ihre Hand wieder weg.

»Nimmst du dies Sofa?«

»Vielleicht.«

»Vielleicht nehme ich es auch.«

Sie sahen sich an und schwiegen.

»Was meinst du, Linda, wann kommt der nächste Bus?«

»Morgen. Übermorgen.«

»Mañana.«

»Hör auf, Spock.«

Sie standen gleichzeitig auf und gingen, ohne sich noch einmal anzusehen, in verschiedene Richtungen.

Moses kam Linda entgegen. Er wedelte mit einem Zettel. »Ich hab's«, sagte er, »morgen früh wird es geliefert. Es ist das letzte, und wir haben's billiger gekriegt, weil es ein Ausstellungsstück ist.«

Er gab Linda einen Kuß und zog sie zum Ausgang.

Als sie sich umdrehte, sah sie Spock mit einer schlanken, blonden Frau auf dem grauen Ledersofa sitzen. Zwei Verkäufer sprachen mit ihnen, sie standen auf. Ein Verkäufer deutete auf das Schild: ICH BIN LEIDER NICHT DA. Dann trugen sie das Sofa weg.

Die blonde Frau wandte sich ärgerlich an Spock. Er zuckte mit den Schultern und deutete auf das japanische Sofa. Die Frau schüttelte entschieden den Kopf, nahm Spock am Arm und zog ihn mit sich fort. Er wandte sich noch einmal nach dem japanischen Sofa um und traf Lindas Blick.

Moses nahm Linda bei der Hand.

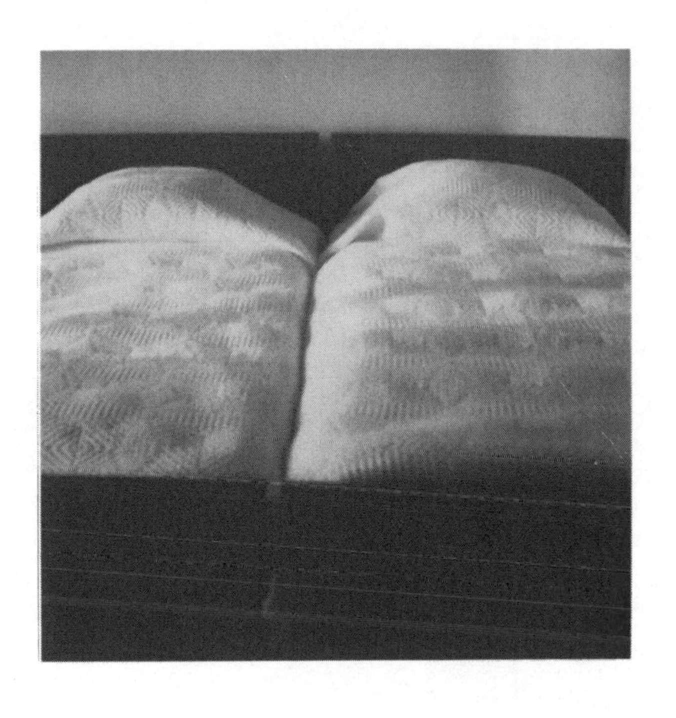

»Was machst du,
wenn ich aus dem Haus gehe?«

Ich frage ihn: »Was machst du, wenn ich aus dem Haus gehe?«

»Nichts«, antwortet er, »gar nichts. Ich mache mir das Essen warm, und dann mache ich's mir vorm Fernseher gemütlich.« Ich kann das nicht glauben. Er setzt sich einfach nur vor den Fernseher und ißt sein Abendessen? Es passiert so ungefähr ein- bis zweimal im Monat. Inzwischen sehe ich es ihm schon an, wenn er wieder einen Abend für sich allein braucht. So nennt er das, er kann mir dabei nicht in die Augen sehen, ganz leise sagt er das, »Schatz, ich glaube, ich brauche einen Abend ganz für mich allein«.

Vielleicht hat er es schon immer getan, schon bevor wir uns kennengelernt haben. Vielleicht habe ich es einfach nicht gemerkt. Er war so normal, ein bißchen langweilig vielleicht, aber er war gut zu mir, er bringt mir heute noch den Kaffee ans Bett. Wenn seine Kollegen das wüßten. Das weiß nur ich, ich allein. Darauf bin ich stolz. Wir haben ein richtiges Geheimnis, und als er es mir gesagt hat, da waren wir schon über zwei Jahre verheiratet. Plötzlich fand ich ihn deshalb auch gar nicht mehr langweilig. Es ist eben nicht normal, und was nicht normal ist, kann doch nicht langweilig sein. Ich habe ihn früher oft gefragt, ob ich nicht einfach zu Hause bleiben und ihm zusehen kann, aber da ist er immer ganz böse geworden, nur einen Abend alle zwei Wochen, ob ich ihm das nicht gönnen könne. Ich wollte ihn einfach nur sehen, auf der Couch sitzen und ihm zusehen. Was wäre daran so schlimm? Ich glaube ihm nicht, daß er nur vorm Fernseher sitzt und zu Abend ißt. Jetzt gehe ich schon seit zwei Stunden spazieren, und vier braucht er mindestens. Ich darf nicht zu früh zurückkommen, das gehört zu unserer Abmachung.

Als wir uns kennengelernt haben, hat er mir so gern etwas geschenkt, Unterwäsche oder mal einen Lippenstift. Stunden konnte er damit verbringen, in der Kosmetikabteilung eines Kaufhauses die richtige Lippenstiftfarbe für mich auszusuchen, die Verkäuferinnen hat er damit verrückt gemacht, aber er hat keine Ruhe gegeben, bis er die richtige Farbe gefunden hatte, und manchmal habe ich gedacht, warum ist ihm das eigentlich so wichtig? Welcher Mann legt so großen Wert auf die richtige Farbe eines Lippenstiftes? Nichts habe ich gemerkt, gar nichts.

Ja, es hat mir geschmeichelt, wenn er mir beim Anziehen zugesehen hat, und noch lieber beim Ausziehen, aber das tut wohl jeder Mann. Meine gesamte Unterwäsche hat er mir gekauft, er mochte es nicht, wenn ich meine billigen, weißen Baumwollschlüpfer getragen habe. Schwarz mußten sie sein oder rot. Aus Seide. Immer aus Seide. Ein Vermögen hat er dafür ausgegeben. Fühlt sich schon schön an, Seide auf der Haut, aber es gibt Wichtigeres, finde ich. Ihm war es wichtig. Und ich liebe ihn. Trotz allem liebe ich ihn ja, sonst hätte ich mich nie drauf eingelassen. Am Anfang bin ich ins Kino gegangen oder habe Freundinnen besucht, aber über die Jahre hat mich das alles immer weniger interessiert. Ich möchte wissen, was er macht, wenn ich aus dem Haus bin.

Gesagt hat er es mir, als wir zusammen vor dem Fernseher saßen, eine Quizsendung lief, es war alles ganz normal. Er habe nun einmal dieses Bedürfnis, und dagegen könne er nichts machen. Er habe schon alles versucht, um es zu unterdrücken, aber er würde etwas vermissen, wenn er es nicht täte, und so sei es doch besser, als wenn er mich eines Tages dafür hassen würde, daß er es nicht tun könne. Ich habe gelacht, dann habe ich mich gewundert, viel habe ich mir nicht dabei gedacht, am Anfang. Ich wollte, daß er glücklich ist.

Er nimmt meine Sachen. Wir haben ungefähr dieselbe Größe. Das Geld hat er also nicht für mich ausgegeben. Oder nicht für mich allein. Ich habe mich gefragt, ob er mich noch liebt. Aber sonst ist alles ganz normal. Nicht mehr so leidenschaftlich wie früher vielleicht, aber wir führen eine bessere Ehe als die meisten. Das weiß ich von meinen Freundinnen. Kein Sterbenswörtchen habe ich ihnen davon erzählt. Es ist unser Geheimnis. Ob er die schwarze nimmt oder die rote? Welche Schuhe zieht er an? Meine passen ihm doch gar nicht. Ich frage ihn nicht, ich weiß, daß er das nicht mag. Mein blaues Kleid, das mag er so. An mir. Oder gar kein Kleid? Er hat eine gute Figur, seine Hüften sind schmaler als meine. Schlank ist er, sehr schlank, obwohl er mehr ißt als ich. Ich brauche ein Stück Schokolade nur anzusehen, und schon sitzt es mir auf den Hüften. Ich zähle jede Kalorie einzeln, er lacht über mich. Ich frage mich, wie es ihm gefallen würde, wenn ich plötzlich drei Kleidergrößen zulegen würde – er müßte sich plötzlich seine eigenen Klamotten kaufen.

Vielleicht würde er dann damit aufhören, wer weiß. Ich will ja gar nicht, daß er damit aufhört. Ich will, daß er glücklich ist. Jetzt gehe ich schon zum vierten Mal um denselben Häuserblock. Wenn ich nach Hause komme, frage ich ihn manchmal, was es im Fernsehen gab. Er weiß immer genau Bescheid. Aber er kann doch nicht einfach nur so dasitzen. Ob er sich schminkt? Er hat so einen schönen Mund, groß, aber nicht zu groß. Meine Lippen sind dagegen eher schmal.

Ich kann ihn mir einfach nicht vorstellen. Sonst kann ich mir doch alles von ihm vorstellen, ich kenne ihn ja schon so lange. Ich weiß, wie er im Büro sitzt und zum Fenster rausschaut, wie er aussieht, wenn er sich nackt im Bad die Zähne putzt, wie er schläft, wie er sich die Fingernägel mit einem Streichholz sauber macht. Das mag ich nicht besonders. Er hat ganz kurze Fingernägel, die schneidet er sich jede Woche. Ob er sie sich lackiert? Und dann wieder den Lack abmacht, bevor ich nach Hause komme? All die Mühe, nur um allein vor dem Fernseher zu sitzen? Früher habe ich mich oft schön gemacht. Für ihn. Oder wenn wir ausgegangen sind. Aber allein für mich? Wozu? Er tut es für sich, nur für sich, sagt er. Und es habe nichts mit mir zu tun.

Unsere Wohnung liegt da drüben, Parterre. Vom

Vorgarten aus kann man leicht ins Wohnzimmer sehen, die Vorhänge sind dick und schwer, er hat darauf bestanden, ich mag es am liebsten ganz ohne. Gleich beim Einzug hat er gesagt, aber an die Fenster kommen Vorhänge. Vielleicht weil er schon wußte, was er vorhatte. Wir haben uns kaum verändert in den Jahren, ich habe mehr Falten bekommen, mehr als er, er hat so eine dicke Männerhaut, die knittert nicht so leicht, ich sehe jetzt bereits älter aus als er. Zwei Jahre jünger bin ich und werde es immer sein. Es wird immer alles so sein. Ich werde jede zweite Woche stundenlang spazierengehen, mich im Winter in eine Kneipe setzen, ein paar Cognacs trinken ... es würde mir so viel leichter fallen, wenn ich wüßte, was er tut. Dann hätte es einen Sinn. Ich will ja nicht, daß er damit aufhört. Ich will doch, daß er glücklich ist.

Ich weiß, daß ich es nicht darf. Es ist so leicht, über die kleine Hecke zu steigen, der Vorhang ist nicht ganz zugezogen, bitte, nur einen kurzen Blick.

Mein Herz klopft, plötzlich habe ich das idiotische Gefühl, ich würde in diesem Moment meinen Mann betrügen, ich schließe die Augen, ich sehe ihn in seinem Anzug, wie er morgens zur Arbeit geht, ein richtiger Mann, dann sehe ich durch den schmalen Spalt im Vorhang, ich habe ihn etwas aufgezogen, bevor ich ging, nur ein bißchen, er hat es nicht gemerkt.

Ich sehe unser Wohnzimmer, das blaue Licht vom Fernseher fällt auf die Wand hinter der Couch, ich sehe nur auf die Wand, ganz langsam senke ich den Blick, über das Bild mit der Winterlandschaft bis zur braunen Lehne von unserer Ledercouch, meinen schwarzen BH sehe ich, den mit den Spitzen, meine Strümpfe mit den Silberpunkten auf den Seiten, meine roten Schuhe, die Fersen ragen weit heraus, und dann sehe ich sie, eine Frau, eine wirklich schöne Frau. Sie hat ein Tablett auf den Knien, sie ißt langsam und sorgfältig, wendet den Blick nicht vom Fernseher, eine Frau, der Mund rotgeschminkt, ein schöner, großer Mund, die Beine leicht übergeschlagen, lange, schlanke Beine. Ruhig sitzt sie da, sie lächelt über irgend etwas im Fernsehen. Sie sieht glücklich aus. Und schön. Schöner als ich.

»Was wollen Sie von mir?«

»Schwitter, Kubeck und Reimer, guten Tag. Ja, ich verbinde. Auf der Leitung wird gerade gesprochen. Möchten Sie warten? Schwitter, Kubeck und Reimer, guten Tag«, so geht das von neun Uhr früh bis abends fünf oder halb sechs. Ich habe eine Telefonstimme, das haben mir schon viele gesagt. Mittags esse ich ein Müsli, das bringe ich mir von zu Hause mit, die Firma weiß das zu schätzen, daß ich am Telefon sitzenbleibe, es macht keinen guten Eindruck, wenn über Mittag kein Mensch zu erreichen ist. Seit zwei Jahren habe ich einen Kopfhörer mit einem kleinen Mikrophon direkt vor meinem Mund, aber die Nackenschmerzen sind mir geblieben. Von hundert Anrufern sagen höchstens zehn Prozent danke. Wenn ich selbst eine Behörde oder eine Firma anrufe, bin ich zu den Telefonistinnen besonders freundlich. Der Ton macht die Musik, sage ich mir, und ich bin der erste Eindruck, den jemand von unserer Firma hat. Der erste Eindruck ist immer entscheidend.

Während ich die Anrufe entgegennehme, versuche ich, ein gutes Buch zu lesen. Ich schaffe selten mehr als fünf Seiten pro Tag. Heute waren es nur drei, den ganzen Tag war der Teufel los. Es gibt so Tage, da ruft Gott und die Welt an, und an anderen Tagen klingelt es nur alle Viertelstunde.

Der Arzt hat gesagt, ich soll viel spazierengehen, wegen der Nackenschmerzen, und so ziehe ich mir abends, wenn ich nach Hause komme, sofort bequeme Schuhe an und gehe bis zur Tagesschau spazieren.

Ich gehe an der stillgelegten Tankstelle vorbei, da blüht jetzt der Flieder, vielleicht hole ich mir, wenn es dunkel ist, ein paar Zweige, es kann ja eigentlich niemand etwas dagegenhaben, der Flieder gehört doch keinem mehr, seit sie die Tankstelle geschlossen haben. In meiner Apotheke an der Ecke gibt es eine neue Schlankheitskur im Fenster, ABC heißt sie, A steht für Ahornsirup, B für Blütenpollen und C für Zitrone. Ich esse kaum noch etwas und nehme trotzdem nicht ab. Ich möchte mich einfach mal wieder in dem großen Schrankspiegel sehen und mit mir selbst zufrieden sein, ich tue es für mich, mich sieht den ganzen Tag sowieso kein Mensch, von daher ist es egal, wie ich aussehe, aber mir ist es nicht egal. Ich ziehe mich auch immer ganz korrekt an für die Arbeit, ich mag es nicht, wenn man sich gehen läßt, nur weil einen keiner sieht.

Ich decke mir auch immer den Tisch zum Abendessen, esse nie die Wurst aus dem Papier oder trinke die Milch aus der Tüte. Der Feinkostladen auf der Hohenzollernstraße führt wunderbare Salate ohne Konservierungsstoffe, aber die habe ich mir in der letzten Zeit verkniffen, da ist Sahne dran, und die macht fett.

Ab halb sieben, wenn die Geschäfte schließen, sind die Straßen ganz plötzlich wie ausgestorben. Die ganze Hohenzollernstraße gehe ich entlang, aber nie bis vor auf die Leopoldstraße, dort geht es im Sommer zu wie auf dem Strich, die Männer tun so, als wollten sie nur einen Kaffee im Freien trinken, dabei ziehen sie jede Frau, die vorbeiflaniert und unter dreißig ist, mit ihren

Blicken aus, Fleischbeschau sage ich dazu. Ich mochte das auch nicht, als ich noch unter dreißig war, das ist gar nicht mal so lange her.

Ich biege vor der Leopoldstraße in die Wilhelmstraße links ein und gehe weiter bis zur Clemensstraße. Ich habe mir das so angewöhnt, immer denselben Weg zu gehen, es beruhigt mich, die kleinsten Veränderungen zu bemerken und Gleiches als Gleiches wiederzuerkennen.

Den großen Mann mit den dichten schwarzen Haaren habe ich schon mehrmals in dieser Gegend gesehen. Er ist immer allein, wandert so herum. Manchmal steht er versunken an einer Ecke, die Hände auf dem Rükken, und betrachtet den Verkehr. Er muß in meinem Alter sein, nicht wirklich gutaussehend, aber er hat etwas Apartes. Er interessiert mich nicht weiter, auch wenn das jetzt vielleicht so geklungen hat, er interessiert mich genauso viel oder genauso wenig wie die neuen Schuhe in dem sündhaft teuren Laden kurz nach der Hohenzollernstraße.

Er geht in meine Richtung, er schlendert, ich überhole ihn nach wenigen Metern, der Arzt hat gesagt, ich soll zügig gehen, sonst hat es alles keinen Sinn. Ich spüre ihn im Rücken, er trägt heute ein hellgraues Jackett, sonst meistens blaue. Er geht langsamer als ich, aber er macht größere Schritte, und bald ist er wieder neben mir. Er wirft mir einen Blick zu, und ich gehe schneller.

Auf der Clemensstraße kann ich wegen des dichteren

Verkehrs seine Schritte nicht mehr hören, ich will mich nicht umsehen, er ist bestimmt schon längst abgebogen. Vor einem Schaufenster bleibe ich stehen, und da sehe ich ihn plötzlich in der Spiegelung. Er steht direkt hinter mir!

Bis jetzt hätte es Zufall sein können. Vielleicht ist es immer noch einer. Vielleicht interessiert er sich wirklich für den Klimbim in diesem Geschenkladen, überteuertes, sinnloses Zeug. Ohne mich umzudrehen, wende ich mich ab und gehe weiter. Ich ärgere mich über mein Herz, das spürbar klopft. Albern. Es ist noch hellichter Tag, ein Mann geht in Schwabing spazieren und steht zufällig vor demselben Geschäft wie ich. Aber dann höre ich wieder seine Schritte. Ich gehe schneller und verlasse meine gewohnte Route. Vielleicht kann ich ihn abschütteln, ich fange an zu laufen, laufe zurück auf die Hohenzollernstraße. Meine Seiten fangen an zu stechen, das taten sie schon immer schnell, in der Schule wurde ich deshalb von der Leichtathletik befreit. Von einem bestimmten Alter an hört man auf zu laufen, man rennt nicht mehr einem Bus hinterher und macht sich lächerlich, man wartet lieber auf den nächsten. Ich komme mir lächerlich vor, wie ich die Friederichstraße entlanghetze und mir die Seiten halte. Das Blut pulsiert mir in den Ohren, ich höre ihn nicht mehr, ich bleibe stehen, er ist nicht mehr da. Ich lehne mich an eine Hauswand, keuche, langsam hören die Stiche auf, ich schüttle den Kopf über mich selbst. Vielleicht liegt es daran, daß ich zuviel allein bin, da fängt man an, sich

Sachen einzubilden, da fängt man an, mit sich selbst zu reden, da läßt man sich leicht gehen, wenn man nicht acht gibt. »Anne, du hysterische, dumme, alte Anne«, sage ich zu mir selbst und gehe weiter.

Zuerst sehe ich seinen Schatten. Er steht vor mir und lächelt mich an. Einen ganz seltsamen Ton gebe ich von mir, dabei will ich ihm sagen: »Lassen Sie mich in Ruhe! Verschwinden Sie! Was fällt Ihnen ein?« Aber nur dieser seltsame Ton kommt aus meinem Mund, und er lächelt. Ich laufe jetzt nicht, ich gehe mit festen Schritten. Er kommt hinter mir her. Ich gehe wieder an dem Feinkostgeschäft vorbei, an der Apotheke, an der stillgelegten Tankstelle, ich versuche an etwas anderes zu denken, aber seine Schritte hinter mir, klack, klack, klack, lassen es nicht zu. Ein Taxi fährt vorbei, ich hätte es anhalten können, zu spät. Ich sollte jetzt nicht nach Hause gehen, aber wohin, wo könnte ich mich verstekken, bis er verschwindet? Dabei sieht er gar nicht aus wie ein Verrückter, er sieht sogar angenehmer aus als die meisten. Ich möchte nach Hause, nur nach Hause, die Tür hinter mir zumachen und den Fernseher an, dann ist alles vorbei.

Ich finde nicht gleich den richtigen Schlüssel, er steht hinter mir, ich kann sonst blind meine Haustür aufschließen. Endlich bin ich im Hausflur, ich drücke die schwere Tür ins Schloß, warte nicht auf den Aufzug, ich laufe die drei Stockwerke hoch, gerate so außer Atem, daß ich huste. Die Kette lege ich von innen vor und schließe zweimal ab.

Im Fernsehen gibt es meine Lieblingsshow, aber ich kann mich nicht recht konzentrieren. Sonst rate ich immer mit und belohne mich, wenn ich gewinne, mit einem Stück Schokolade oder einem Cognac, manchmal auch zwei.

Auf den Zehenspitzen schleiche ich zur Wohnungstür und sehe durch den Spion. Der Hausflur ist dunkel – und leer. Ich hätte schwören können ... ich öffne die Tür, um ganz sicher zu gehen. Er hat den Fuß schneller im Türspalt als ich gucken kann. Ich erschrecke ohne Ton. Er schließt die Tür von innen.

»Was wollen Sie?« frage ich leise, ganz leise. Er wiegt den Kopf, lächelt wieder dieses seltsame Lächeln, geht in die Küche, öffnet den Eisschrank, holt Butter und Aufschnitt heraus, als wisse er ganz genau, was ich im Eisschrank habe, er setzt sich an meinen Küchentisch und schmiert sich ein Brot.

»Bitte! Was wollen Sie von mir?« Ich halte mich am Türrahmen fest. Zu den Nachbarn könnte ich laufen, aber sie haben mir noch nicht einmal zwei Eier geliehen, als ich mir einen Sonntagskuchen backen wollte. Sie hätten keine. Beide Nachbarn hatten keine Eier. Sie können mir nichts erzählen. Sie mögen mich nicht, weil ich es mir verbeten habe, daß sie immer ihre Kinderwagen direkt vor meiner Tür abstellen.

»Ich werde die Polizei holen«, sage ich mit fester, mit ganz fester Stimme. Er sieht mich an. Er hat etwas Apartes im Gesicht. Jetzt ißt er, dann wird er mich umbringen, dann mich ausrauben. Ich schließe mich im

Wohnzimmer ein und rufe die Polizei an. Als ich in die Küche zurückkomme, hat er meine ganze Milch ausgetrunken. Ich mag meinen Kaffee nur mit richtiger Milch. Jetzt muß ich morgen in der Früh noch Milch holen, das heißt ich muß mindestens zehn Minuten früher aufstehen. Man denkt in außergewöhnlichen Situationen an seltsam gewöhnliche Dinge.

»Ich habe die Polizei angerufen. Sie wird gleich hier sein.«

Vielleicht glaubt er mir nicht. Er rührt sich nicht von der Stelle. Seine Fingernägel sind sauber, er ißt das Wurstbrot mit Messer und Gabel. Mit der Gabel wird er mich erstechen. Ein lächerlicher Tod für eine lächerliche Frau. Ich sehe unauffällig auf die Uhr. Vor vier Minuten habe ich die Polizei angerufen. Wirklich bedrohlich wirkt er nicht.

»Was wollen Sie von mir?« fragte ich ihn zum drittenmal. Keine Antwort. Ich rücke einen Stuhl an die Küchentür. Wir warten.

Die beiden Polizisten sehen mich mißtrauisch an. Sie sind kaum über zwanzig, Milchbärte. Ich führe sie in die Küche, deute auf ihn. Er hat die Hände auf dem Tisch verschränkt und lächelt. Dann sagt er mit einer tiefen, melodischen Stimme: »Frau Schwarz«, und das bin ich, »Frau Schwarz ist eine Verwandte, und wir haben eine kleine Auseinandersetzung wegen der Erbschaft von unserem gemeinsamen Onkel.« Er sagt das ganz ruhig, und er hört nicht auf zu lächeln. Ich fange an zu stottern, und ich weiß als Telefonistin doch, wie unglaubhaft und dumm das klingt, daran erkenne ich gleich, ob jemand wirklich einen Termin hat oder nur so tut. »Ich ... ich kenne diesen Mann überhaupt nicht«, stottere ich, und weil ich stottere, habe ich bei den beiden Milchbärten auch sofort verloren.

»Er ist mir gefolgt. Ich bin spazierengegangen, und er ist mir gefolgt«, sage ich jetzt etwas klarer, und da nickt er: »Das stimmt. Ich bin Frau Schwarz gefolgt, weil sie immer aufgehängt hat, wenn ich sie angerufen habe, und mir die Tür sonst nicht geöffnet hätte.« »Den Fuß hat er zwischen die Tür geschoben und ist bei mir eingedrungen. Ich schwöre Ihnen, ich habe diesen Mann noch nie vorher gesehen.« Das ist gelogen. Ich lüge eigentlich nie, aber es tut doch nichts zur Sache, daß ich ihn auf meinen Spaziergängen schon des öfteren beobachtet habe. »Meine Kusine, sie ist meine Kusine zweiten Grades, will mich nicht mehr kennen ...« sagt er. Die Polizisten kontrollieren pro forma seinen Paß. Sie treten von einem Bein aufs andere, der eine sagt: »Ihre Familienstreitigkeiten müssen Sie wohl unter sich ausmachen.« An der Haustür beschwöre ich sie, mir zu glauben, der eine zuckt die Schultern, und der andere sagt: »Falls Ihr Vetter tätlich werden sollte, rufen Sie uns an.«

»Er ist nicht mein Vetter!« rufe ich hinter ihnen her.

Er sitzt vorm Fernseher und sieht die Nachrichten.

»Das haben Sie raffiniert gemacht mit der Polizei. Aber jetzt gehen Sie! Ich bitte Sie, gehen Sie!« Ich stehe vor dem Fernseher und versperre ihm die Sicht. Er verrenkt den Kopf, um nichts zu verpassen. Dann steht er auf, holt meinen zweiten Sessel herbei, stellt ihn neben seinen, nickt mir zu und setzt sich wieder hin.

Ich schenke mir einen Cognac ein und gebe auch ihm einen. »Danke«, sagt er. Das ist das erste Wort, das er an mich richtet. Wir sehen zusammen fern. Er hat lange, schlanke Hände, die liegen auf seinen langen, schlanken Beinen. Einmal lacht er über irgendwas im Fernsehen. Ich schenke uns einen zweiten Cognac ein.

»Hübsch haben Sie es hier«, sagt er. Ich lächle. Ich habe mir viel Mühe mit der Einrichtung gegeben. Alle Farben passen zueinander, die Wände habe ich in einem hellen Lachsrot tapezieren lassen, die Sessel sind beige, die Vorhänge dunkelrot. Ich freue mich jeden Abend wieder über meine hübsche kleine Wohnung. Ich gebe ihm die Fernbedienung des Fernsehers.

»Suchen Sie das Programm aus«, sage ich, »mir ist es ganz gleich, was wir sehen.«

Er schaltet um auf einen Krimi. Ich sehe nicht gern so spät noch Krimis, ich kann dann nicht schlafen. Wenn ich allein bin. Schüsse fallen, Reifen quietschen. »Was willst du von mir?« sage ich ganz leise in den Kugelhagel hinein. Er hat mich nicht gehört. Er rückt seinen Sessel näher an meinen heran, und als ich zusammenzucke, weil einer schönen, jungen, blonden Frau gerade das Messer an die Kehle gehalten wird, nimmt er meine Hand.

Er läßt sie nicht mehr los, bis das Programm zuende ist und Schnee über die Mattscheibe rieselt. Wir sitzen so da und starren in den Schnee.

»Morgen hole ich die Semmeln«, sagt er, »und die Milch für deinen Kaffee.«

Morgen ist Freitag. Da mache ich schon um vier Schluß. Die Wochenenden mag ich gar nicht. Da passiert noch weniger als sonst. Ich stehe auf, mache den Fernseher aus. Es ist so still, so schrecklich still. Ich könnte noch einmal meine Runde drehen, vielleicht steht er wieder da, an der Ecke Wilhelmstraße/Clemensstraße. Er hat etwas Apartes im Gesicht.

Ich könnte dann an der Tankstelle vorbeigehen und mir einen Strauß Flieder holen. Mir schenkt ja doch keiner Blumen. Oft kaufe ich mir welche zum Wochenende. Ich stelle sie auf den runden Tisch im Wohnzimmer, ich rieche ab und zu an ihnen und stelle mir vor, ein Unbekannter hätte sie mir geschickt.

Mit Messer und Gabel

Meine Mutter behauptet, sie habe es kommen sehen. Schon als kleines Mädchen sei ich so gewesen, unzufrieden und bösartig. Sie kommt zweimal im Monat und bringt mir Nescafé, Zigaretten, Illustrierte, manchmal einen Lippenstift, heute grüne Wimperntusche, das ist jetzt modern da draußen, sagt sie und beißt in einen Apfel.

Ich kann nichts dafür. Wenn meine Mutter einen Apfel ißt, macht sie so komische Geräusche, da läuft es mir eiskalt den Rücken runter, ich fange an zu zittern und würde sie am liebsten umbringen.

Das war schon immer so, früher bin ich einfach aus dem Zimmer gegangen. Sie hat mich kalt und herzlos genannt, weil ich, während sie mir ihr Herz über meinen Vater ausgeschüttet hat, einfach aufgestanden und gegangen bin, aber hätte ich ihr sagen sollen, daß es mich anekelt, wie sie einen Apfel ißt? Sie kann ja nichts dafür.

Mein Vater hat immer seine Füße aneinander gerieben. Wenn er abends in Hausschuhen vorm Fernseher saß, habe ich, so sehr ich mich auch bemüht habe, wegzuhören, immer auf dieses leise, schabende Geräusch von seinen Hausschuhen horchen müssen. Hat mich ganz verrückt gemacht, manchmal mußte ich mir die Ohren zuhalten, um ihn nicht anzuschreien.

Es hat also schon ganz früh angefangen. Ich habe gedacht, es hört irgendwann auf, es hört auf, wenn ich den Menschen finde, den ich wirklich mag, so ganz und gar mit all seinen Fehlern. Daß mich meine Eltern wahnsinnig gemacht haben, ist doch ganz natürlich, nicht?

Mit 16 habe ich mich zum ersten Mal verliebt. Er war 18 und hatte ganz große braune Augen. Die Haare trug er lang, er hatte so ganz feines Babyhaar, das habe ich ihm immer gebürstet. Ich hätte alles für ihn getan. Als er zur Bundeswehr eingezogen wurde und in der Heide stationiert war, bin ich von zu Hause weggelaufen und habe mir ein Zimmer in Lüneburg genommen, um in seiner Nähe zu sein. In einer Bäckerei habe ich gearbeitet, um das Zimmer bezahlen zu können. Der Geruch von frischem Brot saß mir in den Kleidern, im Haar, ich konnte duschen, sooft ich wollte, ich wurde ihn einfach nicht mehr los, und Brot konnte ich auch keins mehr essen.

Er war sehr lieb zu mir. Zu unserem einjährigen Jubiläum hat er mir ein paar wirklich teure Ohrringe geschenkt. Ich hätte zufrieden sein können.

Und dann verlor er seine Haare. Obwohl er erst 19 war. Sie wurden immer dünner, und dann wurden sie fettig. Ich wusch sie ihm jeden Tag, und trotzdem waren sie fettig. Irgendwann haben sie mich an alte Spaghetti erinnert. Ich konnte ihm nicht mehr über den Kopf streichen, ohne mir sofort danach die Hände zu waschen. Das habe ich heimlich gemacht, ich wollte ihn nicht verletzen. Zu einem Bürstenhaarschnitt habe ich ihn überredet, Fotos aus Illustrierten von Männern mit ganz kurzen Haaren habe ich ausgeschnitten und sie ihm gezeigt, bis er zum Friseur gegangen ist. Es hat auch geholfen, allerdings nur kurze Zeit, bis er von der Bundeswehr entlassen wurde, da hat er sich geschworen, nie mehr die Haare kurz zu tragen, weil ihn das an die Armee erinnerte. An dem Tag, an dem er um meine Hand angehalten hat, hingen sie ihm schon wieder in fettigen Strähnen bis auf den Kragen. Vielleicht hätte er mich am Morgen fragen sollen. Wenn sie frisch gewaschen waren, war's ja nicht so schlimm. Er war ein wirklich lieber Kerl.

Danach hat mir lange kein Mann mehr so richtig gefallen. Schon nach dem zweiten oder dritten Abend wußte ich, ich würde ihn irgendwann hassen wegen seiner feuchten Aussprache oder wegen der Art, wie er an seinem Schnurrbart zwirbelte, wegen seiner Angewohnheit, den obersten Hemdknopf geschlossen zu tragen oder ständig die Hose hochzuziehen.

Ich bin eben kritisch. Auch mit mir. Eine Schönheit bin ich nicht, meine Beine sind zu kurz, also trage ich keine kurzen Röcke, mein Mund ist schief, also schminke ich ihn so, daß es weniger auffällt, mein Gesicht ist ein bißchen zu rund, deshalb würde ich mir nie die Haare abschneiden. Unangenehme Angewohnheiten habe ich, glaube ich, nicht. Und wenn ich eine an mir entdecke, zum Beispiel fasse ich mir, wenn ich unsicher bin, immer ans Ohr, versuche ich, sie abzustellen. Ich werde nie fett werden. Ein Pfund zuviel auf den Rippen macht mich schon ganz krank, und ich fühle mich erst wieder wohl, wenn ich es mir abgehungert habe. Möchte nicht jede Frau schön sein?

Schöne Männer mag ich nicht. Sie machen mich mißtrauisch, weil sie glauben, daß sie alles haben können, nur weil sie mit einem hübschen Gesicht geboren worden sind. Dafür können sie schließlich nichts.

Mit Berthold war das anders. Er wußte gar nicht, wie schön er war. Lange habe ich auf den Moment gewartet, wo mich irgend etwas an ihm stören würde. Ich war sehr vorsichtig. Als ich ihn nach einem halben Jahr immer noch makellos fand, haben wir geheiratet. Ich konnte mich nicht sattsehen an ihm. Morgens habe ich ihm zugesehen, wie er sich gewaschen und rasiert hat, alles, einfach alles an ihm habe ich gemocht. Er konnte völlig geräuschlos einen Apfel essen, kein einziges Mal habe ich ihn mit fettigen Haaren erwischt, immer sah er elegant aus, selbst wenn er Schnupfen hatte, war er attraktiv. Er war so attraktiv, daß ich mir Mühe geben mußte, mit ihm Schritt zu halten. Nie zuvor habe ich mich so schön gefunden wie mit ihm. Selbst gegen Kinder hätte ich damals nichts gehabt, obwohl ich mich manchmal gefragt habe, ob ich sie so hätte mögen können, wie man ja eigentlich seine Kinder mögen soll. Man kann sie sich ja schließlich nicht aussuchen. Berthold habe ich mir ausgesucht.

Und es wäre nie geschehen, wenn er nicht befördert worden wäre und seine Mittagspause plötzlich so lang war, daß er zum Essen nach Hause kam. Wir haben natürlich immer zusammen gefrühstückt, und abends gab es Brot mit Aufschnitt. Und sonntags haben wir das Mittagessen einfach ausgelassen. Unter der Woche habe ich mir ab und zu etwas gekocht, aber nie für ihn, denn er kam ja immer erst abends, und da wollte er nichts Warmes, weil er Angst um seine Linie hatte. Er ging auch nicht gern aus, weil er mit seinen Geschäftspartnern oft genug essen gehen mußte. Und jetzt kam er also jeden Mittag nach Haus. Ich habe es sofort gemerkt. Er hat das ganze Essen auf seinem Teller zu einem Berg zusammengeschoben und zu einem Brei verrührt. Ich habe gemerkt, wie mir ganz plötzlich kalt wurde, eisig kalt, dabei war es im Sommer, und wir haben auf der Terrasse gegessen. Immer wenn er mit der Gabel in diesen Brei stach, gab es einen schmatzenden Laut, immer wieder und wieder. Er hat mich gefragt, ob ich denn gar keinen Hunger hätte, und ich bin schnell aufgestanden und ins Bad gelaufen. Ich hatte Angst.

Mit abgewendetem Gesicht habe ich später die Reste von seinem Brei in die Küche getragen, aber es hat nichts geholfen. Er lag auf dem Sofa für ein kurzes Mittagsschläfchen, ich wollte mich neben ihn legen und ein paar Minuten so mit ihm dösen, die ganze Geschichte vergessen, aber ich konnte nicht. Ich habe es genau vor mir gesehen, wie er die Gabel mit dem Brei in den Mund schiebt, runterschluckt, wie jetzt der Brei in seinem Magen liegt und vor sich hingärt. Es hat mich vor Ekel geschüttelt. Suppen habe ich von da an gekocht, bis er sich darüber beklagt hat, Steaks mit Salat, das habe ich damit gerechtfertigt, daß ich unbedingt abnehmen müsse und es ihm vielleicht nichts ausmachen würde, mich dabei zu unterstützen. Ich wollte meine Ehe retten. Nach drei Wochen wollte er partout keinen Salat mehr essen, er sei kein Kaninchen, hat er gesagt, und ich sei schon so dünn, daß es nicht mehr schön sei. Königsberger Klopse mit Kartoffelbrei hat er sich gewünscht, und allein bei dem Gedanken daran kamen mir die Tränen. Er hat angefangen, mich zu kritisieren. Ich hätte nichts anderes als meine Linie im Kopf, und künftig wolle er selber kochen.

Wenn er sich mittags in die Küche gestellt hat, bin ich ins Schlafzimmer gegangen, bis er mit dem Essen fertig war. Er hat mich gebeten, ihm doch wenigstens Gesellschaft zu leisten. Einmal noch habe ich es versucht. Erbsen, Kartoffeln und Geschnetzeltes aus der Büchse lagen auf seinem Teller. Als er seine Gabel nahm und alles zusammengerührt hat, habe ich versucht, woanders hinzusehen. Aber das Geräusch habe ich gehört.

Von da an hat mich alles an ihm gestört. Wie er aß, so war er auch. Immer etwas wirr in seinen Gedanken, er sprach die Sätze nicht zuende, es kam mir vor, als würde er alles, was er dachte, in seinem Gehirn zu einem Brei zusammenrühren, mit der Gabel hineinstechen und mich damit füttern. Ich konnte ihm nicht mehr zuhören, ihn nicht mehr ertragen.

Mittags bin ich aus dem Haus gegangen. Abends ins Bett geflohen, bevor er nach Hause kam. Morgens aufgestanden, wenn er schon zur Arbeit gegangen war. Er hat mich angefleht, ihm doch zu sagen, was los sei.

Einmal habe ich geträumt, ich läge neben ihm im Bett, und plötzlich habe ich etwas Warmes, Feuchtes auf meiner Haut gespürt, und als ich mich umgedreht habe, habe ich gesehen, wie sein Bauch aufgeplatzt war und ein dicker, gelblichgrüner Brei aus ihm herausfloß, immer mehr wurde, über die Bettdecke auf den Boden rann, das Zimmer füllte, aus den Fenstern quoll, immer höher stieg und drohte mich zu ersticken. Ich muß vor Angst geschrien haben. Als ich aufwachte, hielt er mich im Arm. Seine Berührung war schlimmer als der Traum. Von da an schliefen wir getrennt. Ich weiß nicht, wer von uns beiden unglücklicher war.

Eines Tages kam er früher nach Hause, und ich stand in der Küche, um mir einen Tee zu kochen. Er schloß die Tür ab und sagte, er müsse mit mir reden. So könne er nicht weiterleben. Er fing an, eine Tüte Tiefkühlspinat aufzutauen. Zwei Eier schlug er in die Pfanne. Es komme ihm vor, als sei ich vor ihm auf der Flucht. Er rührte Kartoffelbreipulver in heiße Milch. Ich versuchte, aus dem Fenster zu sehen und an etwas anderes zu denken. Er nahm mich am Arm und zwang mich, mich hinzusetzen. Lange rührte er sein Essen nicht an.

Er sprach von Liebe. Ich habe es wirklich versucht. Mit all meiner Kraft habe ich es versucht. Ich habe ihm gesagt, daß ich ihn eigentlich auch liebe. Er schwieg und sah mich lange an. Dann nahm er die Gabel. Kartoffelbrei, Spinat und Spiegeleier. An mehr kann ich mich nicht erinnern. Sie haben mir vor Gericht ein langes Messer gezeigt in einer Plastiktüte.

»Girl, you gotta love your man«

Das Café war leer. Sie setzten sich an einen wackligen Plastiktisch, auf dem eine verklebte Ketchup-Flasche stand. ›60er Jahre Café‹ stand in Spiegelschrift an der Scheibe. Ralf legte seinen Kopf in einen Sonnenfleck auf dem Tisch und schloß die Augen. »Vorsicht«, wollte Lilli sagen, »der Tisch ist völlig verklebt«, aber sie hielt den Mund, nur nicht klingen wie seine Mutter.

Eine Bedienung kam nicht. Hinter der Theke dösten zwei Jungen, der eine las ein Heft und strich sich immer wieder die langen Haare zur Seite, der andere hatte ein Küchenhandtuch als Schürze umgebunden und glotzte bewegungslos auf die Straße.

»Ich glaube, es gibt hier nur Selbstbedienung«, sagte Lilli, und als Ralf nicht reagierte, »was willst du haben?«

»Dasselbe wie du«, murmelte er, ohne die Augen zu öffnen. Lilli war Stunden vor ihm aufgewacht, hatte ihm beim Schlafen zugesehen, da sah er noch jünger aus, als er sowieso schon war. Sie stand auf und bestellte bei dem Jungen mit der Schürze zweimal Spiegeleier mit Speck, Kaffee und Orangensaft. Nach einer langen Pause sagte er: »Spiegeleier gibt's nicht mehr. Ist schon nach zwölf.«

»Aber es steht doch auf eurer Tafel«, entgegnete Lilli. Der Junge mit den langen Haaren sah sie daraufhin ausdruckslos an, stand auf, trat an die Tafel und wischte SPIEGELEIER MIT SPECK aus. »Aber Rühreier gibt's noch«, sagte der mit der Schürze. Lilli sah ihm direkt in sein weißes Babygesicht, das so prall und glatt war, daß es ihm etwas Lächerliches gab, und sagte mit strenger Erwachsenenstimme: »Wenn ihr Rühreier macht, dann könnt ihr doch auch Spiegeleier machen.« Der Junge mit den langen Haaren, der, wie Lilli jetzt sah, richtig hübsch und genauso jung war wie das Babygesicht, stellte zwei Styroporbecher mit Kaffee vor sie auf die Theke. Beide sahen sie erwartungsvoll an. »Also warum können wir keine Spiegeleier kriegen?« fragte Lilli.

»Ist halt wie in den 60er Jahren«, sagte der Hübsche und musterte sie. Sein Blick blieb an ihren Beinen unter dem getigerten Minirock hängen. Die sahen immer noch sehr passabel aus, die Oberschenkel hatten zwar kleine Dellen, aber die sah man nur, wenn das Licht schlecht war. »Ach so«, sagte Lilli, »wie in den 60er Jahren...« Sie schüttelte den Kopf und lächelte den beiden zu. Als sie nicht reagierten, sie nur ungerührt anstarrten, begriff Lilli, daß sie das nicht als Witz gemeint hatten. Der mit der Schürze drückte auf einen Knopf an der Stereoanlage. Jim Morrison sang »show me the way to the next whisky bar«.

Ralf sang mit, als Lilli ihm den Kaffee hinstellte. »Magst du auch Rühreier?« fragte sie ihn. Er zuckte mit den Schultern. »Zweimal *Rühreier* mit Speck«, rief Lilli den beiden hinter der Theke zu. Daraufhin schrie der Junge mit der Schürze: »Beate!« Ein höchstens 16jähriges Mädchen mit einer wilden Lockenmähne kam daraufhin aus dem Hinterzimmer geschlurft und bekam vom Babygesicht eine Pfanne in die Hand gedrückt.

Mit einer Bewegung, als sei die Pfanne tonnenschwer, stellte sie sie auf den Herd.

»I tell you we must die«, sang Ralf. Hinter ihm an der Wand hing ein Poster von Jim Morrison. Er trug seine berühmte Lederhose. Neulich hatte Lilli in der Zeitung gelesen, daß sie versteigert worden war, und sie war sicher, daß der Käufer eine Frau in ihrem Alter gewesen sein mußte. »Siehste, Jim«, dachte sie, »die sexuelle Revolution hat doch stattgefunden. Zwanzig Jahre später sitze ich mit meinem 12 Jahre jüngeren Liebhaber in einem Café, und die ganz Kleinen hören immer noch deine Musik.«

Sie beugte sich über den Tisch und gab Ralf einen Kuß.

»Das ist der mieseste Kaffee, den ich in meinem ganzen Leben getrunken habe«, sagte Ralf.

»Ist halt wie in den 60er Jahren«, sagte Lilli und lachte.

»Wieso? War da der Kaffee so schlecht?« fragte Ralf, und er lachte dabei nicht. Lilli wartete sehnsüchtig auf ein Lachen von ihm, sie wartete und wartete, und als es nicht kam, hatte sie plötzlich das Gefühl, als sei sie sturzbetrunken aus einem warmen Raum in eisige, kristallklare Luft getreten. Natürlich hatte sie schon oft hin- und hergerechnet: Mit 22 hätte sie dem 10jährigen Ralf sicherlich sehr imponiert, vielleicht wäre sie sein erster großer Schwarm gewesen, mit 12 hätte sie ihn wickeln können und sich in ein Baby verliebt, jetzt mit 32 fand sie ihn attraktiver als die meisten ihrer Altersgenossen. Diese Art von Mathematik, wo 12 nie gleich

12 war, hatte sie amüsiert, aber jetzt, in diesem Moment, begriff sie zum ersten Mal, daß sie einen großen Teil ihres Lebens ihm nicht mitteilen konnte, und sie fragte sich, was von ihr ohne diesen Teil eigentlich noch übrigblieb.

»Na und?« dachte sie, »so gibt es wenigstens keine Sentimentalitäten«.

»Girl, you gotta love your man«, sang Jim Morrison jetzt.

»Hast du den eigentlich mal live gesehen?« fragte Ralf.

»Ja, zweimal. Und an seinem Grab in Paris war ich auch.«

»Solche Rockstars gibt's heute einfach nicht mehr«, seufzte Ralf, »sie sterben nicht mehr jung. Eins ist sicher, wir hatten damals die bessere Musik.«

»Wir?« dachte Lilli, aber sagte es nicht.

Sie sah, wie jetzt das Mädchen vier Eier in die Pfanne schlug, eine Gabel zur Hand nahm und darin herumrührte.

»Warte«, rief Lilli und lief zur Theke, »wir wollten doch eigentlich Spiegeleier!« Das Mädchen sah sie verständnislos an. »Laß sie doch einfach so, wie sie sind, dann haben wir unsere Spiegeleier. Ich mag nämlich gar keine Rühreier...« Das Mädchen nahm die Pfanne vom Herd und hielt sie Lilli entgegen. Eine labbrige Soße aus halbzerrührten Eiern schwappte darin herum, das Mädchen lächelte Lilli an und fragte schüchtern: »Wollt ihr sie so?« »Nein«, sagte Lilli, »mach einfach weiter.« Sie sah die beiden Jungen hinter der Theke grinsen. »Ich weiß«, sagte sie scharf, »es ist wie in den 60er Jahren.« Der Junge mit den langen Haaren nickte bedeutungsvoll.

»Die sind zu blöd, ein paar Spiegeleier zu braten«, sagte sie leise zu Ralf, als sie an den Tisch zurückkehrte.

»There's a killer on the road«, sang Ralf.

Eine Gruppe von Schulmädchen kam ins Café geweht. Sie warfen ihre Taschen auf die Stühle und stürzten auf die Theke zu. Die Musik wurde lauter gedreht. Die Mädchen starrten auf die Tür, als erwarteten sie jemand bestimmtes. Ungeduldig gingen sie hin und her, tanzten ein paar Schritte, warfen sich Sätze zu, schäkerten ein paar Takte mit den beiden Jungen hinter der Theke, um sich dann wieder der Tür zuzuwenden, gierig sogen sie ihre Cola durch die Strohhalme und warfen lachend die Köpfe zurück. Eines der Mädchen bewegte ihre Hüften im Takt der Doors. Sie kicherte, ruderte mit den Armen, ging immer tiefer in die Knie, imitierte einen Twist.

Die anderen wollten sich ausschütten vor Lachen, und langsam dämmerte Lilli, daß die Kinder wohl glaubten, damals, »in den 60er Jahren«, habe man zu den Doors Twist getanzt. Sie suchte Ralfs Blick, aber der sah dem tanzenden Mädchen auf den Po. Der Junge mit der Schürze haute mit der Hand auf eine Klingel und winkte Lilli zu.

Sie nahm zwei Teller mit Rühreiern in Empfang. Das Mädchen twistete auf sie zu, ging vor ihr tief in die

Knie, Lilli balancierte die Teller an ihr vorbei. Die Eier waren ungesalzen und schwammen im Fett. Ralf wippte mit dem Knie und nickte dem Mädchen aufmunternd zu. Daraufhin drehte sie ihm ihre Kehrseite zu, kam rückwärts näher an ihn heran und schwenkte ihren Po. Die anderen Mädchen kicherten.

Ein Mann um die vierzig in einem eleganten schwarzen Mantel, einen Samsonite-Koffer in der Hand, betrat das Café. Er hatte lange, sorgfältig shampoonierte Haare, die weit über den Kragen seines teuren Mantels fielen. Er sah sich um, ging dann entschlossen auf die Theke zu und sprach mit dem Jungen mit der Schürze. Ihm wurde ein Pappbecher mit Kaffee ausgehändigt, er stellte seinen Koffer ab, schlürfte in kleinen, vorsichtigen Schlucken aus dem Becher und musterte das twistende Mädchen. Er schüttelte leicht den Kopf, da fiel sein Blick auf Lilli. Sie sahen sich an. Er hob seinen Kaffeebecher, als wolle er ihr zuprosten. Lilli nickte ihm zu, streckte den Arm aus und griff über den Tisch nach Ralfs Hand. Er sah erstaunt auf. »I tell you, we must die«, sang Jim Morrison. Der Mann nahm seinen Samsonite-Koffer. Im Rausgehen streifte er mit dem Arm leicht Lillis Rücken.

»Entschuldige«, sagte Lilli zu Ralf.

Der Mann lud seinen Koffer in einen Mercedes. Atemlos blieb Lilli vor ihm stehen. Der Mann sah sie kühl an.

»Eins sage ich Ihnen gleich«, sagte er und strich seine langen Haare zurück, »ich hasse Sentimentalitäten.«

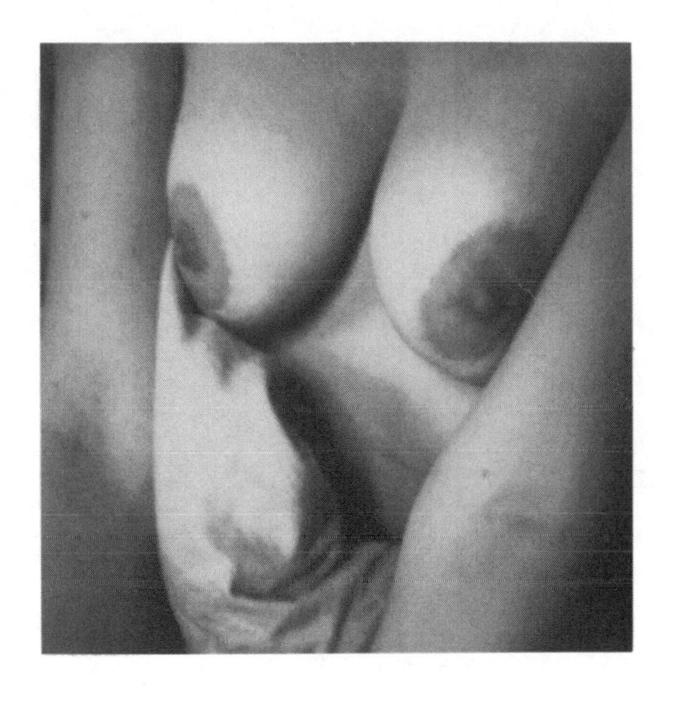

Financial Times

Ich mache das nur als Übergang, verstehen Sie? Man muß noch nicht mal jung dafür sein oder besonders hübsch. Manche sind vierzig und drüber, irgendwie attraktiv und gebildet sollte man sein, das verlangt die Agentur, sonst nehmen sie einen nicht. Ich habe ihnen erzählt, ich hätte einen Magister in Kunstgeschichte, stimmt natürlich nicht, aber vier Semester habe ich immerhin studiert. Es reicht, wenn man die Zeitung liest, dann findet sich schon was, worüber man reden kann. Die meisten finden es auch ganz charmant, wenn man nicht so besonders gut Bescheid weiß. Sie wollen sich ja entspannen. Ich verhandle nicht mit ihnen, das macht die Agentur. Und die wird von den Hotels angerufen, nur von den ganz teuren, den anderen geben sie gar nicht erst ihre Telefonnummer. Ich habe mir deshalb einen Anrufbeantworter gekauft, denn wer läßt sich schon gern einen runden Tausender für ein paar Stunden Arbeit entgehen? Meistens gehe ich nur mit ihnen essen, zu allem andern sind sie dann viel zu müde. Und wenn sie doch wollen, kann ich es ablehnen, die Agentur ist da fair, sie zwingt keinen. Gestern abend wollte ich eigentlich zu den ›Pretenders‹ gehen, ich schwärme für ihre Musik, aber da rief eben die Agentur an. Sie sagen einem nur den Vornamen und die Uhrzeit. Daniel, 20 Uhr, Hotel Kurfürst. Sein Name hat mir schon gut gefallen, sonst heißen sie meist Peter oder Fritz, Männer, die so viel Macht haben, müßten was Besonderes sein, denkt man am Anfang, die meisten haben gute Manieren, aber mehr auch nicht. Häßlich sind sie auch, die meisten. Ich erkenne sie inzwischen auf der Straße. Sie haben immer die gleichen Schuhe an, maßgefertigte mit so durchlöcherten Laschen, braun oder schwarz. Ihre Haut ist schlecht, viele rauchen. Die jungen haben keinen Bauch, weil das nicht dynamisch ist, die älteren fast immer, die haben so viel Macht, daß sie darauf nicht mehr achten müssen. Ihre Anzüge schillern immer ein bißchen, daran erkennt man den guten Stoff. Alle essen viel zu schnell, weil sie daran gewöhnt sind, keine Zeit zu haben. Und in ihren Anzugtaschen steckt meist die abgerissene Bordkarte.

Ich habe also ein langes Bad genommen und mir eine Schönheitsmaske aufgelegt. Manchmal habe ich überhaupt keine Lust, dann rede ich mir ein, ich sei mit meinem Traummann verabredet, wenn man es ohne Lust tut, wird es zur Qual. Mein saphirgrünes Kleid habe ich angezogen, das steht mir besonders gut, es unterstreicht die Farbe meiner Augen. Die Klamotten sind natürlich eine Investition, ich habe mir das Geld von meiner Mutter geliehen, für Bücher fürs Studium, habe ich ihr erzählt. Ich möchte nie alt werden und Krampfadern kriegen wie meine Mutter. Wie Schlangen kringeln sie sich um ihre Beine, ein schwaches Bindegewebe hat sie, das habe ich von ihr geerbt. Manchmal sehe ich schon die dunklen Schatten von den Adern an meinen Beinen, und dabei bin ich erst 26. Mit spätestens 28 höre ich auf damit und mache was Vernünftiges. Was das sein soll, keine Ahnung, ich übe einen sozialen Beruf aus, ich verschaffe Geschäftsleuten einen angenehmen Abend, so sehe ich das.

Der Portier hat mir zugenickt, er kennt mich schon, und die Männer in der Lounge haben sich nach mir umgedreht. Wenn ich will, sehe ich klasse aus.

Ich habe mich auf eine Couch gesetzt und die ›Financial Times‹ durchgeblättert. Die mag ich, weil sie rosa ist, die Überschriften habe ich mir eingeprägt, das reicht meistens, wenn man die Überschriften zitiert, sie reden dann von alleine. »Coca Cola zieht sich aus Südafrika zurück« z. B., so eine Überschrift ist Gold wert. Dazu können sie alle was erzählen, ob sie nun aus Politik oder Wirtschaft kommen.

»Fräulein Carla?« fragte er. Das ist natürlich nicht mein richtiger Name, man siezt den Kunden und nennt sich beim Vornamen, so will es die Agentur. Ich habe ihn zweimal fragen lassen, bevor ich die Zeitung gesenkt habe, so ein bißchen müssen sie sich auch um einen bemühen, dann fühlen sie sich nachher besser, und sie vergessen, daß sie einen schließlich bestellt haben. Er war nicht besonders groß und auffallend gutaussehend für einen Mann mit Macht. Seine Haare waren graumeliert wie sein Bart und halblang. Das mag ich, wenn diese Männer ihre Haare lang tragen, es gibt ihnen etwas Verwegenes. Bis zum Gürtel hatte er dieses leicht Verwegene, die Hosen hatte er allerdings so weit nach oben gezerrt, daß sie ihm fast unter den Achseln saßen, das wirkte einfach spießig, das kenne ich sonst nur von meinem Vater. Wir gaben uns die Hand, wir gingen durch das Foyer, er legte seinen Arm um meine Schultern. Das tun sie alle, sie wollen den Eindruck erwecken, man kenne sich schon länger, vielleicht sieht sie ja ein Geschäftspartner.

Ich sage Ihnen, es gibt auf die Dauer nichts Langweiligeres als teures Essen. Immer gibt es irgendwas mit Lachs, und die Soßen sind immer so raffiniert, daß mir ganz mulmig wird davon. An alles tun sie Alkohol, und dieses Getue von den Kellnern geht mir immer mehr auf die Nerven. Wir hatten also Platz genommen in diesem Drei-Sterne-Restaurant, die Kellner schubsen einem immer den Stuhl unter den Hintern, als wäre man zu blöd, sich alleine hinzusetzen, wir saßen so da und studierten die Speisekarte, da sagte Daniel, er hätte eigentlich unbändige Lust auf Spinat mit Spiegeleiern und Bratkartoffeln. Er war mir gleich sympathisch. Nur Männer wie er bringen es fertig, aus so einem Restaurant wieder rauszugehen, daran erkennt man Klasse.

Ich hätte auf Politiker getippt, aber er war Chef einer großen Uhrenfirma, die kennen Sie sicher, aber Diskretion ist nun einmal das Geheimnis meines Jobs. Er war hier, um einem bekannten Fernsehmoderator einen Werbevertrag anzubieten. Das ist natürlich nicht erlaubt, aber das machen alle, sagte er. »Und was meinen Sie, auf was die Fernsehzuschauer achten? Die registrieren jede Kleinigkeit.« Er sei einmal mit einer Frau befreundet gewesen, die die Zuschauerpost eines Fernsehsenders beantwortet hatte, die habe ihm das erzählt, was den Zuschauern alles auffällt, und daß sie dann schreiben, die Krawatte des Nachrichtensprechers am Dienstag um 20 Uhr 15 hätte ihnen aber gar nicht gefallen, da sei die vom andern Kanal sehr viel geschmackvoller gewesen. Wir lachten beide, er sah trotz seiner grauen Haare sehr jung aus. Ich schätzte ihn auf etwa Mitte vierzig. Die Spiegeleier aß er nur mit der Gabel, so wie es sich gehört. Wir sprachen über Filme, da kenne ich mich gut aus, ich stelle den Fernseher schon morgens an. Ich mag es einfach, wenn die Bilder laufen und ich nicht ganz allein in meinem Zimmer bin. Ob ich gern allein sei, fragte er mich. Wer ist das schon, sagte ich. Es gebe einen Unterschied zwischen einsam und allein, sagte er, immer hofft man, nach oben zu kommen, und wenn man da ist, ist die Luft dort dünn und man ist entsetzlich einsam. Das sagen sie alle, das kenne ich schon. Ich kann es mir nicht wirklich vorstellen, ich lächle dann immer mitfühlend, und manchmal nehme ich ihre Hand. Seine nicht, er war nicht der Typ dazu. »Das Gefährliche an der Macht«, sagte er, »das Gefährliche ist, daß man nicht mehr die üblichen Umwege zu gehen braucht, um etwas zu erreichen. Weder im Beruflichen noch im Privaten. Ein Anruf genügt. Man bekommt es. Ohne Hoffen, ohne Angst, ohne Widerstände. Das ist sehr praktisch und macht am Anfang großen Spaß. Man fühlt sich wirklich mächtig. Und dann merkt man, daß man zwar alles bekommt, aber um seine Gefühle betrogen wird, verstehen Sie, was ich meine?« Es ist gefährlich, auf diese Fragen zu antworten, denn ganz gleich, was man sagt, sie fühlen sich unverstanden. Ich sagte also nichts, sah ihn nur an. Dann reden sie meist weiter. Er auch. »Ich kann mich erinnern, daß ich, als ich meinen ersten großen Werbevertrag für eine ganz kleine Firma nicht bekommen habe, danach in meinem Hotelzimmer auf dem Bett saß, das war eher eine schäbige Pension als ein Hotel, und geheult habe. Für mich war in dem Moment alles zu Ende, ich wollte meine Sachen packen und aussteigen. Ich versuche, bei allem, was ich jetzt tue, nie zu vergessen, wie ich mich damals gefühlt habe, denn irgendwie werde ich das Gefühl nicht los, daß ich damals besser dran war.«

Ich mochte ihn, weil er damals geheult hatte. Manchmal erzählen sie solche Geschichten, um einen ins Bett zu kriegen. Er nicht. »Danke fürs Zuhören«, sagte er. Es war ein schöner Abend gewesen, und als ich ihn im Taxi zum Hotel zurückbegleitete, war ich festentschlossen, nach Hause zu fahren. Er drückte mir fest die Hand und stieg aus. Ich winkte. Da machte er die Tür wieder auf und fragte, ob ich vielleicht Lust hätte, noch einen Drink an der Bar zu nehmen. Ich wußte, daß die Bar schon zu hatte.

Er hatte eine Suite, daran kann man sie am Ende immer richtig einstufen. Manche erzählen einem, daß sie in Wirklichkeit das Land regieren, und dann haben sie nur ein Einzelzimmer. Ich mag die, die ihre Macht eher untertreiben, lieber. Er hatte also eine Suite. Am Anfang saß er mir gegenüber, und wir unterhielten uns über Stilmöbel. Ich weiß nicht, warum ich mich so angestellt habe, er war mir sympathischer als die meisten, sympathischer als alle anderen jemals, vielleicht war es gerade deshalb. Als er sich zu mir auf die Couch setzte, hätte ich sofort gehen oder einwilligen sollen. Statt dessen sagte ich, ich könne so was nicht, nur für eine Nacht. Er wunderte sich nicht, was mich wunderte, er sagte etwas ganz Seltsames, er sagte: »Jede lange Beziehung fängt mit einer einzigen Nacht an.« Daraufhin wurde ich richtig schüchtern. Er versuchte, mich zu küssen, lange wand ich mich wie ein kleines Mädchen. Ich mochte ihn einfach zu sehr, verstehen Sie? Wenn ich schüchtern werde, benehme ich mich ganz kühl. »Eine lange Beziehung?« sagte ich ironisch, »hören Sie auf mit diesem Zuckerguß. Sie haben mich bestellt, ich habe Ihnen zugehört, das ist alles.« »Ja?« sagte er, so ein ganz langgezogenes, leises Ja. Ich konnte einfach nicht gehen. Er gehörte zu den guten Küssern, davon gibt es nicht viele, die meisten können überhaupt nicht küssen. »Es geht nicht«, sagte ich. »Das ist in Ordnung«, sagte er, »ich möchte dich nur küssen.«

Erst um vier Uhr morgens zog ich mich aus. Er legte seine Kleider ganz sorgfältig zusammen, dann hob er meine Stöckelschuhe auf und stellte sie ordentlich nebeneinander.

Ich mag Männer, die ein bißchen Fleisch auf den Knochen haben, so wie er, und ein ganz bißchen schon aus der Façon. Das rührt mich. So junge, knackige

Muskelmänner stoßen mich eher ab, ich mag's, wenn's ein bißchen traurig ist, das Fleisch, nicht zu viel natürlich. Er nannte mich seinen Liebling, und normalerweise hätte ich auf so einen Quatsch überhaupt nicht reagiert. Aber ich war wirklich in dem Moment sein Liebling. Sein Gesicht über mir sah plötzlich älter aus, weil die Haut dann so nach unten hängt, ich frage mich, ob das bei mir auch schon so ist.

Ich sage Ihnen, es macht einfach Spaß, wenn die Männer mit Macht plötzlich weich und hilflos werden wie kleine Babies. Für eine kleine Weile besitze ich sie, und das kann mir keiner wieder wegnehmen. Er lag an meiner Brust und murmelte etwas, was ich nicht verstand, dann schlief er ein. Das wäre nun wirklich der ideale Moment gewesen, um ganz leise zu verschwinden. Ich ging ins Bad und rauchte eine Zigarette. Seinen Toilettenbeutel sah ich mir an. Da erfährt man mehr über einen Menschen als durch seinen Paß. So eine ganz kleine Schere und eine Bürste hatte er in einem Etui, wohl für seinen Bart. Und Feuchtigkeitscreme, eine sehr teure. Vitaminkapseln. Die haben sie immer alle dabei. Und eine Tönungswäsche für Silberreflexe in grauem Haar. Ich finde das gar nicht unmännlich, ich mag es, wenn Männer eitel sind. Er tönt sich also seine Haare. Liebling. Ganz eng neben ihm habe ich gelegen und mir vorgestellt, wir seien verheiratet. Nur so, zum Spaß. Um sechs rief der Weckdienst an. Er umarmte mich fest. Es war langsamer als beim ersten Mal, sehr gefühlvoll. Mittendrin klingelte das Telefon. Er blieb bei mir, während er telefonierte. Es ging um Geld. Er gab kurze Anweisungen, klang sehr kühl und sachlich. Ich lächelte vor mich hin, das können sie, die Mächtigen, ganz gleich, in welcher Situation, immer klingen sie wach, kühl und sachlich.

Das Telefongespräch dauerte zu lange. Danach ging es nicht mehr. Er entschuldigte sich.

Ich hatte Angst vor dem Moment, wo er in Eile geraten würde, mich kaum noch ansehen und auch mit mir kühl und sachlich sprechen würde. Ich war so sicher, daß es passieren mußte, es gibt immer einen Grund, warum sie oben sind. Irgendwann fangen sie alle an, wie Maschinen zu funktionieren, manche kommen etwas langsamer in Gang als andere, aber sie tun es alle. Er nicht.

Wir frühstückten zusammen wie ein altes Ehepaar, er im Morgenmantel und ich in Unterhose und BH. Das war vielleicht das schönste, wir sprachen nicht viel, irgendwann nahm er meine Beine auf seinen Schoß und streichelte sie. Dann sagte er: »Du bist etwas ganz Besonderes.« Naja.

Er hat mir seine Uhr geschenkt. Ich liege auf meinem Bett, die Vorhänge habe ich zugezogen. Ich sehe auf das Zifferblatt seiner Uhr und spüre, wie wir zusammen immer älter werden.

»Bist du eine Hexe?«

Ich schlafe nicht, aber die anderen denken, ich schlafe. Ich höre Herbert nebenan lachen, die Kinder krähen. Mein glücklicher Schlaf läuft mir davon, ich kann ihn nicht mehr zurückholen. Ich höre sie kichern. Mein Herz fängt an zu klopfen. Dagegen kann ich nichts tun. Ich versuche, mich zu beruhigen. Es klopft stärker. Und ich weiß nicht warum. Es dröhnt mir in den Ohren, mein Herz.

»Eins, zwei, drei, vier, Eckstein, alles muß versteckt sein«, ruft Juliane von nebenan. Er lacht. So lacht er mit mir nicht. Nie. Am Freitag nachmittag holt er die Kinder bei seiner Frau ab. Freitag nachmittag fängt mein Herz an zu klopfen.

Babette ist erst drei. »Meine Mami sagt, du bist eine Hexe«, sagt sie zu mir, »bist du eine Hexe?«

Ich bin dreiundzwanzig. In Herbert habe ich mich im Urlaub verliebt. Seine Frau und die beiden Kinder waren dabei. Ich habe alles gewußt. Er sah einsam aus am Strand. Wir begegneten uns erst zufällig auf seinen langen, einsamen Strandspaziergängen, dann trafen wir uns jeden Tag hinter einem großen Felsen. Seine Frau ist zehn Jahre älter als er. Sie sieht hart aus. Ich mochte sie nicht. Sie erinnerte mich an meine Lateinlehrerin. Er litt unter ihr, erzählte er mir. Wir haben nicht viel gesprochen, damals hinter dem Felsen.

Ich war zweiundzwanzig, ich wußte nicht, über was ich mit einem vierunddreißigjährigen Familienvater reden sollte. Er konnte Feuer machen. Das war mehr als die meisten, die ich kannte. Ich brachte ein paar Kartoffeln mit, ein Stück Fleisch, manchmal einen Fisch. Er machte das Feuer. Er könne auch angeln, erzählte er. So sah er aus. Wie jemand, der sich um einen kümmert.

Es sah uns nie jemand hinter dem Felsen.

Als sie abfuhren, begegneten wir uns im Auto auf der schmalen Straße zum Dorf. Ganz langsam fuhren wir aneinander vorbei. Er saß am Steuer, ich war allein im Auto. Er nickte mir zu. Auf dem Rücksitz weinten die Kinder. Ich nickte zurück. Seine Frau gab den Kindern Bonbons.

Einmal noch ging ich allein zu dem Felsen. Ich fand seinen Fußabdruck und stellte meinen Fuß hinein.

Als ich ihn in München in einem Kaufhaus wiedersah, war unsere Sommerbräune schon verblaßt. Er hatte Babette an der Hand. Sie wollte eine Negerpuppe. Sie schrie. Er kaufte sie ihr. Leise sagte er zu mir: »Ich bin vor vier Wochen ausgezogen.« Babette schwenkte die Negerpuppe und sah mich dabei an.

Er war in die Wohnung eines Freundes gezogen, der für ein Jahr nach Indien gegangen war.

Nach der ersten Nacht, die ich dort mit ihm verbrachte, blieb ich einfach da. Ich rief in meiner Wohngemeinschaft an und sagte, ich würde nie wiederkommen. Sie könnten mit meinen Sachen machen, was sie wollten.

Ich fragte ihn, ob er mich liebe. Darauf hat er immer geantwortet: »Sonst wärst du nicht hier.«

Drei Monate lang waren wir allein, wie hinter dem

Felsen. Dann einigte er sich mit seiner Frau über das Besuchsrecht der Kinder.

»Meine Mami sagt, du bist eine Hexe«, sagte Babette zu mir.

Wenn die Kinder da waren, sah er mich nicht an.

An den Wochenenden ging ich viel ins Kino. Wenn ich nach Hause kam, schliefen seine Kinder in unserem Bett. Er lag zwischen ihnen. »Du bist erwachsen«, sagte er zu mir, »sie nicht.«

Die Kinder mochten meine Spaghettisoße nicht. Sie sahen mich stumm an und aßen sie nicht. Herbert nahm ihre Teller und schüttete die Spaghetti in den Abfall. Er kochte ihnen die Soße, die sie gewöhnt waren.

In dem kleinen Zimmer, in dem ich schlafe, wache ich morgens von ihrem ersten Satz auf. Sie sind leise, das hat man ihnen beigebracht. Ich wache trotzdem auf. Mein Herz fängt an zu klopfen. Solange es geht, mache ich die Augen nicht auf. Dann höre ich ihn, wie er mit ihnen balgt und lacht. Manchmal schlafe ich noch einmal ein, wenn sie zusammen ins Bad gehen. Und dann muß ich irgendwann aufstehen, weil ich sonst an meinem eigenen Herzklopfen ersticke. Ich habe versucht, lächelnd aus meinem kleinen Zimmer zu kommen. Er sieht mich nicht an. Ich habe versucht, mit den Kindern zu scherzen. Er sieht mich nicht an. Montag, denke ich, bald ist doch Montag, da sieht er mich wieder an.

»Das Sicherste vom Sichersten ist der Zweifel«, sagt er oft. Ich verstehe diesen Satz nicht.

»Liebst du mich?«
»Sonst wärst du nicht hier.«

Ich muß aufstehen. Mein Herz klopft in meinem Magen, in meinen Ohren, in meinem Kopf. Babette kreischt vor Vergnügen. Herbert brummt wie ein Flugzeug.

Ich mache die Tür auf. Er spielt mit Babette Flieger.

»Wo ist Juliane?« frage ich.

»Ach, die spielt Verstecken«, sagt Babette, während sie an seinen Händen durch die Luft fliegt.

Im Spiegel im Bad sehe ich mein verquollenes Gesicht. So sieht es am Wochenende immer aus. Als ich das Wasser abstelle, höre ich ein Wimmern aus dem Flurschrank. Hinter den Kleidern hockt Juliane.

Mit dem Saum von meinem roten Kleid putzt sie sich die Nase. Sie will nicht herauskommen. Ich setze mich in den Schrank neben sie. Sie weint, ich schweige.

»Mach die Tür zu«, flüstert sie. Wir hören Babette und Herbert von ferne lachen.

»Warum bist du im Schrank?« Sie antwortet nicht, zieht sich mein Kleid über den Kopf. Wir sitzen so da, ab und zu schnieft sie. Keiner sucht uns.

Plötzlich, ganz plötzlich, als würde in meinem Gehirn eine Seite zurückgeblättert, erinnere ich mich. »Ihr habt Verstecken gespielt, nicht?«

Sie nickt. »Und du hast dieses tolle Versteck gefunden. Du hast die Tür zugemacht, Babette hat gerufen

›ich komme‹, und du hast ein bißchen Herzklopfen gekriegt, ob sie dich wohl findet.« Juliane schiebt das Kleid über den Kopf und sieht mich an. Ich kann im Dunkeln ihre Augen naß glänzen sehen. »Und du hast gehört, wie sie dich gesucht hat, aber sie hat dich nicht gefunden. Dein Versteck war so gut, sie hat dich einfach nicht gefunden.« Sie nickt. »Hat Babette dich gerufen?« »Einmal.«

»Nur einmal?« »Einmal der Papi, und einmal Babette.« »Aber du wolltest ihnen nicht verraten, wo du bist, also bist du nicht herausgekommen. Und dann haben sie plötzlich nicht mehr gerufen. Es war auf einmal ganz still. Keiner hat dich mehr gesucht. Das Spiel war vorbei. Und jetzt weißt du nicht, wie du aus dem Schrank rauskommen sollst. Stimmt's?«

Wir hören Babette quietschen und Herbert lachen.

»Mein Herz klopft so komisch«, sagt Juliane.

»Warum rufen Sie mich an?«

Ich gehe eigentlich nie ans Telefon, weil es meine Mutter sein könnte, die wissen will, wie es steht zwischen Albert und mir. Es steht schlecht, das weiß sie genau.

»Hallo«, sagte eine Männerstimme, »spreche ich mit Carla Breszinski?«

»Ja, warum?«

»Ich weiß auch nicht.«

»Woher haben Sie meine Nummer?«

»Aus dem Telefonbuch.«

Er schwieg. Sein Alter konnte ich nicht schätzen, seine Stimme war tief.

»Wer sind Sie? Und warum rufen Sie mich an?«

»Geht es Ihnen gut?«

»Sagen Sie mir bitte, warum Sie anrufen, sonst lege ich auf.«

Er schwieg. Ich weiß auch nicht, warum ich nicht sofort aufgelegt habe.

»Wie geht es denn Ihnen?« fragte ich.

»Das ist es ja eben.«

»Hören Sie ...«

»Ich höre.«

»Es geht Ihnen also nicht gut.«

»Das habe ich nicht gesagt.«

»Ich lege jetzt auf.«

»Entschuldigen Sie die Störung. Und passen Sie auf sich auf.«

Er legte auf. Ich fing an zu kochen. Ich koche nicht gern, aber Albert mag es, wenn ich koche. Er spricht nicht mehr mit mir, aber mein Essen ißt er gern. Er kann sich nicht entscheiden. Ob er sie denn liebt, habe ich ihn gefragt. Er weiß es nicht. Er braucht Zeit, ich soll ihn in Ruhe lassen.

Fast hätte ich das Telefon nicht gehört, ich stelle beim Kochen immer das Radio an.

»Hallo«, sagte er.

Ich wartete.

»Sind Sie bei diesem Wetter auch so müde?«

»Es geht.«

»Ich heiße August Tammik, falls es Sie interessiert.«

»August? Ist das ein Witz?«

»Nein.«

»Was wollen Sie von mir?«

»Nichts.«

»Warum rufen Sie mich dann an? Haben Sie einfach auf einen Namen im Telefonbuch getippt? Kennen wir uns irgendwoher?«

»Nein.«

»Machen Sie's gut. Wiedersehen.«

Eine Weile saß ich so da. Dann fiel mir auf, daß die Ecke vom Teppich umgeschlagen war. Ich stand auf, um sie zurechtzurücken, da klingelte das Telefon wieder.

»Ja?« sagte ich.

»Was ist los mit dir? Du klingst so komisch.«

»Ja? Wann kommst du?«

»Ich komme heute abend nicht«, sagte Albert.

»Triffst du sie?«

Er legte auf. Ich schüttete das Essen ins Klo. Im

Fernsehen gab es nichts. Ich ging früh ins Bett. Es klingelte schon eine Weile, bevor ich davon aufwachte.

»Hallo«, sagte er. »Habe ich Sie geweckt?«

»Nein. Ich bin froh, daß Sie anrufen.«

»Können wir uns treffen? Jetzt?«

»Ich bin schon im Bett.«

»Es ist wichtig.«

»Warum wollen Sie mich treffen? Wir kennen uns doch gar nicht.«

»Ich muß etwas mit Ihnen besprechen.«

Er gab mir die Adresse einer Bar. Sie war leer. Ich bestellte einen Wodka Tonic und setzte mich an einen Tisch. Über den roten Tischdecken lag eine Glasplatte. Wie praktisch, dachte ich.

Er war klein, in meinem Alter, so um die Dreißig. Er wirkte nervös. Ging aufs Klo, dann zur Musikbox, er setzte sich, fuhr sich mit beiden Händen durch die Haare.

»Ich habe mich gerade von der Frau getrennt, die ich heiraten wollte«, sagte er und grinste.

»Und das wollten Sie mit mir besprechen?«

»Sie heiratet morgen. Wir haben uns nur gestritten. Gestern habe ich ihre Hochzeitsanzeige bekommen.«

Er hatte eine kleine Lücke zwischen den Schneidezähnen, die mochte ich.

»Ich habe sie heute getroffen und habe sie gefragt, ob sie nicht doch mich heiraten will. Sie hat abgelehnt.«

»So, so«, sagte ich lahm.

»Ich mag sie nicht besonders.« Er grinste wieder.

»Haben Sie schon die Fische gesehen?«

An den Wänden hingen große Plastikfische, Haie und Karpfen.

»Ich habe auch so einen großen Fisch. Den hat sie mir mal geschenkt.«

Er legte seine Hand auf meine. Ich ließ sie da liegen. Sie bewegte sich nicht. Ich trank noch einen Wodka Tonic. Er starrte mich an. Ich wollte seine Zahnlücke sehen.

»Sind Sie traurig, daß Sie sie jetzt für immer verloren haben?«

»Was?« Er lächelte erstaunt, und da war sie wieder, seine Zahnlücke.

»Ich habe Ihnen nur eine Geschichte erzählt.«

»Ach so. Warum haben Sie mich nun wirklich angerufen?«

»Und jetzt sitzen wir hier.«

»Ich muß jetzt gehen.« Ich nahm meinen Mantel, da faßte er mich an der Hand.

»Haben Sie auch so einen entsetzlichen Hunger?« fragte er.

Die Restaurants hatten bereits geschlossen. Wir gingen in einen Schnellimbiß. Er legt den Arm um meine Schultern, er war fast einen Kopf kleiner als ich.

»Warum lachst du?«

»Du bist so viel kleiner als ich. Das fühlt sich komisch an.«

Er nahm den Arm von meinen Schultern.

»Sieh dir mal den Kellner an. Er ist eigentlich Schauspieler, kann den gesamten Shakespeare auswendig, aber er mag es nicht, wenn man darüber spricht.«

Der Kellner schob uns die Hamburger über die Theke. Er hatte fettige schwarze Haare und abgerissene Fingernägel.

»Gib die Hoffnung nicht auf«, sagte August zu ihm.

Er wohnte unterm Dach, gleich neben dem Schnellimbiß. Die Hamburger waren kalt. Wir setzten uns aufs Sofa. Er gähnte, stand auf und verschwand. Über dem Fernseher hing ein Foto von einem jungen Mädchen, es sah ihm ein bißchen ähnlich. Ganz still war es plötzlich. Dann fing es an zu regnen. Als ich mich umdrehte, sah ich, wie er sich auszog und ins Bett ging. Er sah mich an und sagte kein Wort. Ich ziehe mich nicht gern vor Männern aus. Als ich aus dem Bad kam, schlief er.

Der Regen hämmerte gegen die Scheiben, die Jalousien ratterten.

Er wachte auf.

»Oh, Gott«, sagte er. Wir küßten uns. Im Liegen wirkte er nicht mehr so klein. Sein Körper fühlte sich groß an. Er lag auf mir.

»Wie schön du lächeln kannst«, flüsterte er.

Danach lagen wir schweigend nebeneinander und hielten uns an der Hand.

»Hast du Geschwister?« fragte er.

»Drei Schwestern und einen Bruder. Und du?«

»Eine Schwester.«

»Und? Verträgst du dich mit ihr?«

»Sie ist tot.«

Ich weiß nie, was man dann sagen soll. Es tut mir leid oder irgendsowas wahrscheinlich. Ich sagte nichts.

»Sie wurde ermordet. Totgeschlagen. Ihr Ex-Freund hat sie totgeschlagen.«

Ich faßte seine Hand fester, er zog sie weg und setzte sich auf.

Der Regen wurde immer schlimmer.

»Ich muß diese verdammten Jalousien reparieren. Er bekam drei Jahre.

»Nur drei Jahre?«

»Er hat ein Prominentenrestaurant, die haben alle für ihn ausgesagt. Er hat früher schon mal eine Frau schwer mißhandelt, aber die wollte nicht aussagen, weil sie ihn immer noch liebt.«

»Es tut mir leid«, sagte ich.

»Meine Schwester hatte sich von ihm getrennt. Drei Monate später ist er gekommen, hat die Gartentür aufgetreten. Er hat sie an den Haaren über den Rasen geschleift. Die Gutachter hatten Büschel von ihren Haaren in einer Plastiktüte.

Er weinte. Ich sah ihm zu. Er weinte nicht lange. Es wurde milchighell, der Regen leichter. Er küßte mich. Ganz, ganz langsam bewegte er sich auf mir. Ich schenkte ihm das größte Lächeln, das ich besitze. Er sagte nichts. Als er aufs Kissen fiel, sah er häßlich aus. Es war Tag. Er stand auf, ging ins Bad und ließ die Tür offen. Er würgte und spuckte ins Waschbecken.

»Wie würde dir das gefallen, wenn wir zusammenleben würden?« fragte er und zog an den Jalousien. »Ich muß jeden Morgen würgen. Entsetzlich.«

»Kommt vielleicht vom Rauchen.«

»Ich rauche nicht.«

In der Unterhose machte er mir eine Tasse Kaffee. Er ist so klein, dachte ich.

Ich zog meine Schuhe an. Auf der Kommode sah ich ein Foto von mir, ein Paßfoto. Auf der Rückseite stand mein Name. Es war schmutzig und zerknickt, ich lächle auf diesem Foto, ich kann mich erinnern, daß ich es machen ließ und dann nicht mehr wiederfinden konnte.

Ich sagte nichts, er öffnete die Tür. Ich sah seine Zahnlücke.

Lügen

Sie sah ihn zuerst von hinten. Er war riesig, überragte selbst im Sitzen alle anderen Studenten. Sein Kopf war zu groß, sein Hals zu dünn und zu lang, seine Haare fast weiß. Nervös rieb sie ihre Hände aneinander und zupfte ihren Rock gerade.

»Guten Tag«, sagte sie. »Mein Name ist Rosemarie Hüttner, ich bin Fotografin und möchte Ihnen in der nächsten Stunde etwas über Porträtfotografie erzählen.«

Die Studenten betrachteten sie müde. Einige gähnten ihr offen ins Gesicht, ein Mädchen strickte, nur er, der Riese, sah sie erwartungsvoll an, lächelte ihr sogar zu. Sein Gesicht verschob sich dabei zu einer Grimasse, sein Mund zuckte, ein Auge rollte unkontrolliert hin und her. Nichts stimmte in diesem Gesicht. Es sah aus wie aus Einzelteilen zusammengenäht, aber nicht wie nach einem schweren Unfall, dazu war sein ganzer Kopf zu unförmig, die Stirn zu hoch und zu breit, wie ein Wasserkopf, dachte Rosemarie, so sieht das wohl aus. Sie bemühte sich, ihn nicht anzustarren, aber er saß genau in der Mitte des Zimmers mit seinen weißen Haaren und seiner kreidebleichen Haut.

Sie sprach über Licht.

»Unser Auge registriert immer zuerst den hellsten Fleck auf einem Foto. Darüber sollte man sich bei der Komposition eines Bildes im voraus klar sein.«

Der Riese mußte sich hierher verirrt haben, und sie war darauf gefaßt, daß er anfangen würde, unkontrolliert vor sich hinzulallen. Die Studenten beachteten ihn so wenig wie sie. Ihre Neugier an einer neuen Dozentin war nach wenigen Sekunden erloschen. Nur er schien ihr aufmerksam zuzuhören, mit seinem einen Auge hing er an ihren Lippen, während das andere schielend umherwanderte.

Rosemarie holte eine Glühbirne an einem Kabel aus ihrer Tasche.

»Ich möchte jetzt ein kleines Experiment mit Ihnen machen«, kündigte sie bemüht schwungvoll an. »Dazu brauche ich einen Freiwilligen, der zu mir nach vorne kommt.« Sie hatte den Satz noch nicht beendet, da fürchtete sie sich schon. Und tatsächlich stand der Riese umständlich auf und kam langsam auf sie zu. Seine Arme hingen wie kleine Anhängsel an seinem gewaltigen Körper herunter, er ging leicht in den Knien abgeknickt und setzte vorsichtig einen Fuß vor den anderen. »Vielleicht wäre es besser«, sagte sie hastig, »wenn wir mit einem Frauengesicht anfangen würden...« Blöder kann man es nicht ausdrücken, dachte sie. Der Riese blieb stehen, verschob abermals sein Gesicht zu einem Lächeln, drehte sich dann ganz langsam um und ging zurück zu seinem Stuhl. Es entstand eine Pause. Die Studenten sahen sie abwartend an. Rosemaries Achselhöhlen fingen an zu jucken. Sie zeigte auf ein durchschnittlich hübsch aussehendes Mädchen, das sich nur widerwillig erhob.

Rosemarie ließ die Jalousien herunter und schaltete die Glühbirne ein.

»Sie werden jetzt sehen, wie sich der Ausdruck, je

nachdem, wie ich die Beleuchtungsquelle auf das Gesicht richte, ändert.«

Sie wanderte mit der Glühbirne um das Mädchen herum und machte es schön. Sie ließ die etwas zu niedrige Stirn im Dunkel verschwinden, hob die klassisch gerade Nase hervor, ließ ein Grübchen einen markanten Schatten werfen.

»Fotografie hat nichts mit Wahrheit zu tun. Die Kamera lügt, und es liegt an Ihnen, wie Sie sie lügen lassen. Das Mittel zur Lüge ist das Licht.« Sie hielt dem Mädchen die Glühbirne unters Kinn und machte so sein Gesicht hart, bitter und alt.

»Versuchen Sie nie, objektiv zu sein. Objektivität ist halbherzig und feig. Sie versucht, allgemein zu sein. Je subjektiver Sie sind, um so mehr wird es Ihnen gelingen, Allgemeingültiges auszudrücken.«

Sie bedankte sich bei dem Mädchen und wollte sich sofort umdrehen, um die Jalousien hochzuziehen, da stand der Riese abermals auf und kam entschlossen auf sie zu. Hilflos gestikulierte sie mit der Glühbirne, aber eine neue Ausrede wollte ihr einfach nicht einfallen. Im Halbdunkel sah sie, wie die Studenten sich gespannt aufrichteten. Ich kann nicht, ich kann einfach nicht, dachte sie. Er nahm ruhig auf dem Stuhl vor der Klasse Platz und sah sie erwartungsvoll an. Dann nickte er. Zögernd und mit klopfendem Herzen hob sie die Glühbirne und richtete sie auf sein Gesicht. Es zerfiel augenblicklich in monströse Details, seine riesige Stirn leuchtete weiß auf, und der Abstand zwischen seinen

Augen vergrößerte sich so, daß das eine Auge mit dem anderen nichts mehr zu tun zu haben schien. Erschrokken ließ sie die Glühbirne sinken. Licht ist das Mittel zur Lüge, Licht ist das Mittel zur Lüge, murmelte sie tonlos vor sich hin.

Sie hob die Glühbirne weit über seinen Kopf, beleuchtete ihn von hinten, machte ihn zu einem Irren mit einem Heiligenschein. Er grinste debil und sah sie unverwandt an. Verzweifelt versuchte sie sich an ihre professionellen Tricks zu erinnern, das Bemerkenswerte und Schöne in einem Gesicht herauszuheben, indem man den Rest in gnädigem Dunkel verschwinden läßt, aber wohin sie auch sah in diesem Gesicht, sie fand nichts, was sie hätte benutzen können, um alles andere vergessen zu machen, jeder Zentimeter in diesem Haufen Fleisch verriet das Ganze.

Sie deckte den Lichtstrahl mit der Hand ab, ließ ihn über sein Gesicht huschen und kreierte immer nur wieder ein neues Monster. Ströme von Schweiß flossen ihr am Körper herunter. Sie hatte fette Politiker markant aussehen lassen, alte Schauspielerinnen jung, versoffene Künstler inspiriert, ihr Licht hatte gelogen, was das Zeug hielt, und jetzt konnte sie es noch nicht einmal zu einer klitzekleinen Notlüge überreden. Das Neonlicht in dem kahlen Zimmer hatte ihn besser behandelt als sie, die »Königin von Licht und Schatten«, wie sie einmal in einer Zeitung genannt worden war.

Starr stand sie da, die Glühbirne in der hocherhobenen Hand, erstaunt drehte er sich nach ihr um und warf damit einen überdimensionalen Schatten seines Profils an die Wand, das nichts Menschliches mehr an sich hatte, sondern aussah wie ein großes Tier. Zitternd zog sie den Stecker aus der Wand. In das Dunkel hinein sagte er leise »danke«. Sie überlegte, ob es ihr gelingen könnte, aus dem Zimmer zu laufen, aber da ließ schon ein Student die Jalousien hoch.

Später konnte sie sich nicht mehr erinnern, wie sie die Stunde zuende gebracht hatte. Stumm, und wie es ihr vorkam, verächtlich lasen die Studenten ihre Bücher und Notizen zusammen und gingen hinaus.

Sie packte die Glühbirne ein und verfluchte sie. Er versperrte ihr in der Tür den Weg. Sie sah an ihm hoch.

»Darf ich Sie etwas fragen?« sagte er in einer leisen, sehr sanften Stimme. Sie nickte und war erstaunt, daß er sprechen konnte.

»Wenn Ihnen jemand erzählen würde, daß er gerne Fotograf werden möchte, aber große Angst davor hat, Leute zu fragen, ob er sie fotografieren darf, was würden Sie demjenigen raten?« Nach einer Pause fügte er hinzu: »Ich schätze, Sie wissen, von wem ich rede. – Darf ich Sie zu einer Tasse Kaffee einladen?«

Ganz vorsichtig balancierte er den Kaffee auf einem Tablett durch die Mensa vor ihr her, und Rosemarie spürte, wie sie alle Studenten mit ihren Blicken verfolgten. Sie setzte sich automatisch auf die Seite des Tisches, die im Schatten lag, und bereute es sofort. Der Riese nahm ihr gegenüber Platz, und eine Lampe mit orangefarbenem Plastikschirm, wie sie in allen Kantinen hängt, schien ihm erbarmungslos ins Gesicht. Er sah sie abwartend an und rührte unendlich langsam seinen Kaffee um. Der Löffel wirkte winzig in seinen riesigen Händen. Sie sah ihn nicht an, als sie schließlich anfing zu sprechen. »Jeder hat Angst«, sagte sie schnell. »Und wenn ich keine Angst hätte, würde ich keine Fotos machen. Ich mache Fotos, um meine Angst zu überwinden.«

»Wovor haben *Sie* denn Angst?« fragte er freundlich und legte seine dicken weißen Hände auf den Tisch. Alle seine Bewegungen waren so verlangsamt, als fänden sie in Zeitlupe statt. »Oh, vor... vor der Welt. Vor allem, was ich nicht kenne. Davon mache ich Fotos, damit ich es kennenlerne und keine Angst mehr zu haben brauche.« Rosemarie konnte sich nicht erinnern, jemals zuvor ihren Beruf so klar beschrieben zu haben, auch sich selbst gegenüber nicht.

»Und? Funktioniert es?« fragte er sanft.

»Nein«, sagte sie. Da fing er an zu lachen, und sein ganzes Gesicht zitterte und wackelte vor Vergnügen. Er prustete, Lachtränen flossen ihm im Zickzack über sein verschobenes Gesicht. Schließlich brachte er mühsam hervor: »Es hat also alles keinen Zweck?«

»Am Ende nicht. Aber solange man es tut, glaubt man immer wieder, es könne funktionieren.«

Immer noch lächelnd nahm er ihre Hände in seine. Sie waren ganz warm und weich wie zwei große Kissen. »Sie dürfen nicht so pessimistisch sein«, sagte er und beugte sich zu ihr vor. »Angst vor der Welt, wenn's nur das ist.« Die Lampe über dem Tisch schien auf seine Ohren. Er hatte kleine, wohlgeformte Ohren, die hübschesten Ohren, die sie jemals gesehen hatte.

Die Meerjungfrau

Seit Stunden lag Ella bewegungslos auf ihrem Bett. Über ihr schwebte wie immer die kleine Meerjungfrau aus grünem Holz. Sie sah in ihren Spiegel und kämmte sich wie immer mit dem zierlich geschnitzten Kamm die Haare.

»Habe ich was falsch gemacht, Anton?« hatte sie ihn gefragt. An der Art, wie er ihr den Rücken zuwandte und sich seine Jeans überstreifte, erkannte Ella, daß er auf dem Sprung war. Als er ins Bad ging, machte er die Tür leise zu. Auch das war ein sicheres Anzeichen.

Sie ließ ein Ei in den kleinen, roten Topf mit der Delle gleiten und sah zu, wie die Luftperlen an die Oberfläche stiegen. Vor drei Wochen war eine ertrunkene Frau eingeliefert worden, ihren Körper hatte sie in ihrem Abschiedsbrief der Wissenschaft zur Verfügung gestellt. »Das werde ich nicht tun«, dachte Ella, »ich möchte nicht, daß Studenten Witze über mich reißen.« Sie stellte die Eieruhr auf viereinhalb Minuten.

Vor zwei Wochen, als Anton den kleinen roten Kochtopf gegen die Küchenwand geschlagen und geschrien hatte: »Ich weiß es nicht! Ich weiß gar nichts! Ich weiß nicht, was ich von dir will, und ich weiß nicht, was ich von mir will!« hatte sie es schon gewußt.

Sie legte das Ei in einen grünen Eierbecher, einen Toast auf einen gelben Teller, goß Orangensaft in ein Glas und trug alles zurück ins Schlafzimmer. Sie hörte ihn duschen.

Sie nahm seine Bücher vom Nachttisch und legte sie vor die Haustür. Zwei rote Unterhosen, die er bei ihr zum Wechseln deponiert hatte, seine Sonnenbrille samt einem herausgefallenen Glas, die dicken Socken, die sie sich von ihm geliehen hatte, als an einem Wochenende im März die Heizung ausgefallen war. Sie waren zwei Tage im Bett geblieben, und Ella hatte gedacht, sie sei glücklich.

Anton kam aus dem Bad. »Es tut mir leid«, sagte er. Ella nickte und klopfte das Ei auf.

»Es liegt nicht an dir.«

»An dir auch nicht«, sagte Ella.

»Vielleicht können wir ...«

»Freunde bleiben?«

»Ja«, sagte er.

»Vielleicht«, sagte Ella. Das Ei war etwas zu weich. Er schlug mit der Faust gegen den Türrahmen, dann holte er eine Packung Zigaretten aus der Hosentasche.

»Willst du eine?« Er hielt ihr die Packung hin. Sie hatte sie gestern abend im chinesischen Restaurant an der Ecke gekauft. Er hatte geschwiegen und mit den Stäbchen auf dem Tisch herumgetrommelt. Auch da habe ich es bereits gewußt, dachte sie.

Er gab ihr Feuer. Jetzt überlegt er, ob er mir noch einen Kuß geben soll, dachte Ella. Anton zuckte die Achseln und lächelte unsicher. Sie sah auf seine Turnschuhe. Die Sohlen waren an den Spitzen aufgerissen, und als er aus dem Zimmer ging, klappten sie auf und zu wie zwei Mäuler.

»Der Schlüssel!« rief sie ihm hinterher. Dann hörte sie, wie er an seinem Schlüsselbund hantierte, ein leises

»ping«, als er den Schlüssel auf den Glastisch neben der Haustür legte.

Er zog die Tür energisch hinter sich zu. Die Meerjungfrau schaukelte leicht im Luftzug.

Die Indonesierin mit dem schönen Gesicht, bei der Ella die Meerjungfrau gekauft hatte, hatte ihr erzählt, daß man auf Bali neugeborenen Kindern diese Holzfiguren über die Wiege hängt und sie von ihnen in ihrem ersten Lebensjahr beschützt werden. Die Meerjungfrau, die Ella sich ausgesucht hatte, war die einzige, die außer ihrem Fischschwanz auch Flügel hatte, sie betrachtete sich lächelnd in einem Spiegel und kämmte sich die langen, wellig geschnitzten Haare. Ella hätte die Indonesierin gern gefragt, ob diese Meerjungfrau schon einmal ein Baby beschützt habe und deshalb als Schutzengel bereits abgenutzt sei, ob sie auch Erwachsene beschützen könne, europäische Erwachsene. Sie fragte dann nichts, um nicht enttäuscht zu werden. Behutsam nahm die Indonesierin der Meerjungfrau Arme, Flügel, Kamm und Spiegel ab und verpackte die Einzelteile in gemustertes Seidenpapier.

Vorsichtig wie ein rohes Ei trug Ella sie nach Hause und hatte dabei das Gefühl, die Meerjungfrau verhindere bereits Verkehrsunfälle, während sie bei rot über die Straße ging.

Im Kramladen nebenan kaufte sie eine Flasche Piccolo. Eine Kerze zündete sie an, setzte die Meerjungfrau wieder zusammen, beträufelte sie mit dem Sekt und machte sie so zum persönlichen Schutzengel von

Ella Koch, 32 Jahre alt, alleinstehend, Dozentin der Pathologie.

Als sie sie über ihrem Bett aufhängen wollte, fiel der Meerjungfrau ein Flügel ab. Sie klebte ihn mit Sekundenkleber wieder an und trank den Rest Piccolo.

Drei Tage später lernte sie Anton im Supermarkt kennen. Ihm fehlten an der Kasse drei Pfennig, auf denen die fette Kassiererin mit schlecht gefärbten schwarzen Haaren bestand. Wäre sie jünger gewesen, hätten sie Antons Charme und Aussehen wahrscheinlich erweicht. Ella half ihm aus. Zwei Wochen später deponierte er seine beiden roten Unterhosen in ihrem Wäscheschrank.

Sie stellte ihr Frühstück zur Seite, legte sich auf den Bauch und schloß die Augen. Der Straßenlärm wehte ins Zimmer wie ein dichter Vorhang, gewebt aus Hupen, aufheulenden Motoren, kreischenden Straßenbahnen und dem leisen Piepen abbiegender Motorräder.

Es ist Sommer, dachte Ella, die Motorräder piepen. Die ganze Welt hat zu tun. Ich sollte im Institut anrufen. Sie war froh, heute keine Studenten sehen zu müssen, die dumme Witze rissen, um ihr Entsetzen zu übertünchen, sich die Nase zuhielten, weil sie den Geruch nicht ertragen konnten, die blaß im Gesicht wurden und um so blödere Bemerkungen machten, je mehr sie sich ekelten.

Ella verstand nicht, warum die Einzelteile eines Menschen die jungen Studenten so erschreckten, sie selbst hatte immer die Perfektion der Einzelteile bewundert und sich vor dem lebendigen Ganzen gefürchtet.

Sie öffnete die Augen und sah ein schwarzes Haar von Anton auf ihrem Kopfkissen. Sie überlegte, ob sie es aufbewahren sollte. Sie drehte sich auf den Rücken und gab mit dem Fuß der Meerjungfrau einen kleinen Stoß.

Sie ist mein Zeuge, dachte sie, sie hat alles gesehen. Sie weiß, daß ich mir Mühe gegeben habe. Mit ihm war das leicht. Am Anfang. Als er noch ein Fremder war. Da war ich so in ihn verliebt.

Und dann war ihr mit einem Mal sein riesiger Adamsapfel aufgefallen, wie er beim Sprechen auf- und niederhüpfte, sie konnte den Blick nicht mehr von ihm wenden, Anton zerfiel vor ihren Augen in seine Bestandteile. Er erzählte von seinem Vater, der sei Arzt gewesen, deshalb habe er nie Medizin studieren können, Ella betrachtete seinen Adamsapfel und wußte, die Gefahr ist gebannt, er würde ihr niemals das Herz brechen können. Sie hatte sich entliebt und versuchte ihn deshalb um so mehr zu lieben.

Das Telefon klingelte dreizehn Mal, bevor es verstummte. Hat er was vergessen? Natürlich läßt er es genau dreizehn Mal klingeln, er besteht aus lauter dummen Details. Seine fetten, kleinen Füße, sein dichter Haarpelz auf der Brust, seine lange Nase, die er im Schlaf immer so tief ins Kissen gebohrt hatte, daß sie zur Seite klappte und sein Gesicht verunstaltete, ein umgeklappter Knorpel. Ella wollte sich an den ganzen Anton erinnern, aber es gelang ihr nicht. Wie in einem Kaleidoskop fügten sich die Einzelheiten zu immer neuen Mustern zusammen; Anton, den schönen Anton fand sie nicht mehr.

Unbeteiligt kämmte sich die Meerjungfrau die Haare. Ella stellte sich auf die weiche, schwankende Matratze und riß ihr die Flügel und die Arme aus. Ihres Spiegels beraubt sah sie jetzt mit ihrem hübsch gemalten Gesicht gleichgültig in die Ferne. Ella spuckte der Meerjungfrau ins Gesicht. »Beschützt hast du mich nicht!« schrie sie erbost.

Ella kam sich lächerlich vor, zog sich an und verließ das Haus. Im Bus saß vor ihr eine Frau mit gelben, steifgesprühten Haaren. Sie hätte sie gern angefaßt.

Sie durchstreifte Warenhäuser, Parfümerien und Boutiquen, sie war bereit, lange, lange zu suchen nach der ganz bestimmten Farbe, dem ganz bestimmten Duft, dem ganz bestimmten Detail, der magischen Formel, die ihr ihr Gleichgewicht zurückgeben würde. Aber die Gegenstände zogen sich vor ihr zurück. Sie befühlte eine Seidenbluse ein paar Sekunden zu lange, sie ging einmal zu oft an den Regalen auf und ab, sie besprühte sich mit zu vielen Parfüms, probierte zu viele verschiedene Lippenstifte auf ihrem Handrücken aus. Hinter ihrem Rücken rümpften die Verkäuferinnen die Nasen und scharrten ungeduldig mit den Füßen. Sie haben ein drittes Auge für diejenigen, die nicht wissen, wer sie sind und wohin sie wollen.

Ella fühlte ihre geringschätzigen Blicke im Nacken, Schweißperlen sammelten sich an ihrem Kragen und liefen ihr in den Ausschnitt wie eine Perlenkette. Bitte, sagen Sie mir doch, wie man das macht, über die Erde schweben wie Sie, wollte sie rufen. »Mit diesem Körperpuder mit Goldpartikeln können Sie nichts falsch machen«, behauptete eine Verkäuferin, und Ella kaufte ihn wegen der Schachtel, einer rosa herzförmigen Schachtel. Herzen, die nicht mehr schlugen, hatte sie schon oft in der Hand gehabt, klar konstruierte rote Klumpen ohne Schnickschnack, bestimmt keine romantischen Liebeslauben und Mördergruben.

Der Körperpuder mit Goldpartikeln führte sie zu den seidenen Unterhosen mit Spitzenbesatz, diese wiederum zu einem Lippenstift mit dem vielversprechenden Namen ›Mon Rouge‹. Eine einzige Zutat fehlte noch zu der magischen Formel, sie wählte jetzt sicher ein Parfüm aus, ein Männerparfüm, das entfernt nach Schweiß roch.

Einem jungen Mann, der vor der Parfümerie saß und ein Schild hielt »Ich bin hungrig«, gab sie zwei Mark. Er gab ihrem Ritual sozusagen den letzten Schliff.

Auf dem Weg nach Hause fing sie an zu laufen. Die von ihr so mühsam zusammengestellten Gegenstände hüpften in der Plastiktüte, sie mußte sie schnell benutzen, sie wußte, wie flüchtig ihr Effekt sein konnte, in einer Stunde schon, spätestens morgen würden sie sich nicht mehr zu einer Formel fügen, sie wären nur noch nutzloser Tand. Kaum hatte sie die Haustür hinter sich zugeworfen, zog sie sich aus, schlüpfte in eine der seidenen Unterhosen, schminkte sich die Lippen mit ›Mon Rouge‹, betupfte Handgelenke und Ohrläppchen mit Parfüm, bestäubte sich den Körper mit Puder. In der Eile ließ sie die herzförmige Schachtel fallen, sie zerbrach.

Das Licht in ihrem Schlafzimmer war blau geworden, der Straßenlärm abgeebbt. Ella gab der Meerjungfrau ihre Flügel zurück, ihre Arme, Kamm und Spiegel. Dann legte sie sich aufs Bett. Ihr weißer Slip leuchtete im dunkel werdenden Zimmer, ihre Lippen schmeckten mondän, golden glitzerte der Puder auf ihrem Körper, sie duftete nach weiter Welt und Eleganz.

Über ihr schwebte die Meerjungfrau, sah in ihren Spiegel und kämmte sich die Haare.

»Es tut mir leid.«

Meine Mutter mag ihn, meinen Calvin aus Brooklyn. Sie hat sich zum Abendessen umgezogen und flirtet mit ihm, während sie ihm die Aufschnittplatte reicht. Sie spricht nur wenige Worte Englisch, also redet sie deutsch auf Calvin ein und macht Pausen wie ein Politiker, damit ich übersetze. »Diese Wurst gibt es nur hier, und auch nur beim Metzger Wolf. Stadtwurst heißt sie. Stadtwurst. Schmeckt's Ihnen? Nehmen Sie doch noch. Bißchen was können Sie schon noch vertragen. Sehen ja aus wie ein Strich in der Landschaft.« Pause. Ich sage Calvin auf englisch, daß er noch eine Scheibe Wurst essen soll, sonst ist sie wieder beleidigt. Meine Mutter sieht mich mißtrauisch an. »Er redet nicht viel, was?« sagt sie, »ganz wie dein Vater. Hast du ihm von deinem Vater erzählt?« »Warum nicht?« sage ich. »Das sieht dir ähnlich«, sagt sie, und dann schweigt sie und sieht mich vorwurfsvoll an. Mein Vater ist vor sechs Jahren mit einer Drogistin durchgebrannt, bei der er jahrelang das immer gleiche Weihnachts- und Geburtstagsgeschenk für meine Mutter gekauft hatte, ein Parfüm mit dem Namen ›Joy‹. Seit sechs Jahren behauptet meine Mutter, sie habe ihn immer mehr geliebt als er sie. Als ich noch ziemlich klein war, hat sie mir erzählt, eine Frau solle sich immer einen Mann suchen, der sie ein bißchen mehr liebe als sie ihn, und ihr bedeutungsvolles Lächeln konnte nur heißen »so wie ich«. Mein Vater tat mir leid.

Meine Mutter steht auf und räumt den Tisch ab. Ein Hauch von ›Joy‹ schwebt durch den Raum. Hinter ihrem Rücken werfen Calvin und ich uns Küsse zu. Er liebt mich, das weiß ich. Er sitzt am Tischende vor dem Bild mit einem düsteren Winterwald, wie früher mein Vater. Der lebt jetzt mit Brigitte, der Drogistin, in Köln. Ich habe ihn aus New York angerufen. »Erzähl deiner Mutter nicht, daß ich glücklich bin«, hat er gesagt.

Sie kommt mit einer Schüssel roter Grütze aus der Küche zurück. Ich sehe, daß sie sich die Nase frisch gepudert hat.

»Rote Grütze. Rote Grütze«, sagt sie ganz langsam zu Calvin und lächelt ihn an. »Ich würde gern ein bißchen frische Luft schnappen«, sagt er zu mir. »Später«, antworte ich. »Was hat er gesagt?« fragt meine Mutter. »Er mag deine rote Grütze.« Wenn ich deutsch rede, klinge ich wie sie. »Es ist schön, daß du wieder da bist«, sagt meine Mutter. »Ich werde nie verstehen, wieso du unbedingt drüben studieren mußt. Der Dreck in New York muß ja unvorstellbar sein. Und so viele Leute!« »Ich mag den Dreck«, sage ich. »Sag deiner Mutter, wie sauber Deutschland auf mich wirkt«, sagt Calvin in dem Moment. Ich brauche es nicht zu übersetzen. Meine Mutter strahlt ihn an.

Calvin heißt mit Nachnamen Weintraub. Er ist der erste Jude, den ich in meinem Leben kennengelernt habe, und der erste Mann, den ich glaube, wirklich zu lieben.

Es war sein Vorschlag, über die Sommerferien nach Deutschland zu fahren. »Du hast wahrscheinlich mehr Angst als ich«, hat er zu mir gesagt und beim Start der

Lufthansamaschine von New York nach München meine Hand genommen. Ich zucke zusammen, als der Pilot sich meldet und in preußischem Befehlston schnarrt: »Sis is Captain Müller and his crrrew. Ve velcome you on board and vish you a happy flight.« Calvin lacht. Ich habe plötzlich Angst vor jeder deutschen Paßkontrolle, nicht er. Ich vermute plötzlich in jedem Deutschen über fünfundsechzig einen alten Nazi – er nicht?

»Gut sieht er aus«, sagt meine Mutter. Ich übersetze es Calvin. »Sag ihr, daß du deine Schönheit von ihr geerbt hast.« Ich sage es ihr, und sie wird rot, kichert wie ein kleines Mädchen, plötzlich sieht sie ganz jung aus. Ihre rotblonden Haare hätte ich gern von ihr geerbt. Ich habe braune Augen und fast schwarze Haare wie mein Vater. Mich hat in Amerika nie jemand für eine Deutsche gehalten, das hat mir geschmeichelt.

Meine Mutter klatscht in die Hände. »Jetzt habe ich noch eine Überraschung für euch.« Stolz stellt sie eine Flasche Sekt auf den Tisch. Calvin und ich grinsen uns an. Er legt unter dem Tisch seine Hand auf mein Knie. Wir denken beide an die vielen Flaschen Moet Chandon unter den Vollmonden über der Brooklyn Bridge. Da habe ich ihm erzählt, daß meine Mutter vierundfünfzig ist und mein Vater sechsundfünfzig; ganz beiläufig habe ich das gesagt, das Rechnen habe ich ihm überlassen. »Willst du jetzt mich damit beunruhigen oder dich?« hat er gefragt.

Meine Mutter macht das Radio an. Bayerische

Marschmusik. Calvins höfliches Lächeln friert auf seinen Lippen ein. Aber das sehe nur ich. Meine Mutter hebt das Glas. Ich stehe auf und mache das Radio aus. Calvin schüttelt ganz leicht den Kopf.

»Du hast recht«, sagt meine Mutter, »ist ja viel gemütlicher ohne dies Gedudel.« Hat sie's begriffen? Hat sie irgend etwas begriffen? Wir stoßen an. »Calvin Weintraub«, sagt sie, »was für ein schöner Name.«

Ich habe darauf bestanden, mit Calvin in meinem ehemaligen Zimmer zu schlafen, meinem Mädchenzimmer. Mutter wollte uns ihr Ehebett überlassen, in dem sie seit sechs Jahren allein schläft. Immer noch bezieht sie beide Seiten des Betts, alle drei Wochen. »Es ist doch so unbequem für euch zwei in deinem alten Bett«, sagt sie, und ich weiß, wie schwer ihr dieser Satz fällt. Ich werde rot, nicht sie.

Meinen alten Teddy hat sie auf mein Bett gesetzt. Es fehlt ihm ein Ohr. In dem anderen trägt er sein Markenzeichen, den Knopf. Teddies sind so deutsch wie der Schwarzwald und Schäferhunde.

»Es tut mir leid, Calvin«, sage ich. »Was tut dir leid?« fragt er, und ich spüre seinen Atem in meinem Nacken. Wir können nur auf der Seite nebeneinander liegen in meinem schmalen, alten Bett. »Es tut mir leid, daß alles wirklich so ist, wie es ist.« »Mach es nicht schlimmer, als es ist.« »Es ist aber schlimmer, als ich gedacht habe.« »Nein«, sagt er, »es ist so, wie es ist.« Er küßt ein Muster auf meinen Rücken, nimmt meine

Brust in beide Hände. »Wir müssen ganz leise sein«, sage ich und drücke mich an ihn.

Sie sitzt im Dirndl am gedeckten Frühstückstisch und wartet auf uns. Der Kaffee ist bereits kalt. Ich kann mich nicht erinnern, daß sie früher jemals Dirndl getragen hat. Warum ausgerechnet heute? Warum ausgerechnet für Calvin?

Harte Eier hat sie gekocht für den Ausflug und Brote geschmiert. »Wir können doch irgendwo zu Mittag essen gehen«, sage ich.

»Du hast ja keine Ahnung, wie teuer alles geworden ist.« »Teurer als in New York?« sage ich und klinge schnippischer als ich wollte. Daß sie immer über Geld reden muß. »Siebenhundert Mark kriege ich im Monat von deinem Vater. Ganze siebenhundert Mark.« »Entschuldige,« sage ich, »so habe ich das nicht gemeint.« »Nein«, sagt sie scharf, »natürlich hast du es so nicht gemeint. Du hast ja immer auf der Seite deines Vaters gestanden.«

Sie schenkt Calvin Kaffee ein und lächelt ihn an. Sie hört nicht auf zu lächeln, als sie sagt: »Hast du deinen Vater gesprochen? Natürlich hast du.« »Wenn du es weißt, warum fragst du mich dann?« »Hat er dir erzählt, wie glücklich er mit ihr ist, ja?« »Nein«, sage ich, »darüber haben wir überhaupt nicht geredet.« Sie schweigt und lächelt, lächelt. »Unser Ausflug lohnt sich gar nicht mehr, jetzt ist es schon elf Uhr«, sagt sie. Ich würde ihr gern die hartgekochten Eier in ihr Lächeln werfen. »Was ist mit unserem Ausflug?« fragt er.

Wir fahren über Hof zur DDR-Grenze. Die Idee hätte von ihr sein können. Aber Calvin will es sehen, weil er es sich nicht vorstellen kann. »HALT! For American Personal. 50 m to border«, kündigen Schilder die Grenze an. Calvin ist beeindruckt. Meine Mutter schweigt. Sie weiß, daß ich ihr Gerede über die Russen nicht ausstehen kann. »Wie nah die Russen hier sind«, sagt Calvin, »das kann sich in Amerika keiner vorstellen.« »Was hat er gesagt?« fragt meine Mutter. »Daß er Hunger hat«, sage ich.

Sie zieht hörbar die Luft ein. »Das da ist der Todesstreifen«, sagt sie zu Calvin. »Death zone«, übersetze ich. »Heißt das wirklich so?« fragt er. Keiner glaubt mir irgendwas.

Wir fahren über die Felder, das Korn glitzert weiß in der Sonne. Es riecht nach großen Ferien, nach Freibad und Nogger-Eiskrem. »God, it's beautiful«, sagt Calvin. Ja, es ist beautiful, a beautiful country. Er macht das Autoradio an. American Forces Network bringt die Baseballergebnisse. Calvin lacht. »Wirst du ihn heiraten?« fragt meine Mutter und fährt ohne Pause fort: »Entschuldige, ich hatte vergessen, daß man dich so etwas nicht fragen darf. Wie lange willst du noch in Amerika bleiben? Darf ich das fragen?« »Du darfst alles fragen«, sage ich und meine es in dem Moment auch so, »vielleicht, vielleicht werden wir sogar heiraten. Aber sag ihm nicht, daß ich dir das erzählt habe.« Meine Mutter dreht sich nach mir um und zwinkert mir zu. »Wie soll ich denn? Ich weiß ja noch nicht mal, wie heiraten auf englisch heißt. Marry oder?« »Jetzt hat sie gefragt, ob wir heiraten, was?« sagt Calvin. »Nein«, sage ich, »sie hat mich nur gefragt, wie das auf englisch heißt.« »Das ist doch dasselbe, oder?« sagt er und dreht das Radio lauter.

Wir fahren an der tschechischen Grenze entlang. »Nach dem Einmarsch 68 hat sich mein Vater eine Pistole gekauft«, erzähle ich Calvin. »Und als er sie Jahre später einmal im Suff bei einer Schützenvereinsfeier ausprobiert hat, ging sie gar nicht.« Meine Mutter lacht. »Erzählst du ihm von der blöden Pistole? Das war typisch. Typisch für deinen Vater.«

Sie biegt auf eine kleine Straße ab, und ich merke erst, als es zu spät ist, wohin wir fahren. Flossenbürg – 2 km steht auf dem gelben Straßenschild.

In der KZ-Gedenkstätte Flossenbürg war ich mal mit der Schule. Ein Mädchen hat geweint, sie war sitzengeblieben und schon älter als wir. Sie war die einzige, die etwas begriffen hatte. Ich erinnere mich, daß mir auf dem Heimweg ein Junge Juckpulver in den Kragen gesteckt hat. Da habe ich geweint.

Die verdammte Gedankenlosigkeit meiner Mutter, die Weintraub für einen schönen Namen hält. Wenn ich ihr jetzt sage, sie soll umdrehen, wird sie mich fragen, warum. Ich müßte es erklären. Wie kann ich das erklären? Ob Calvin den Namen erkannt hat? Er hat sich vorgelehnt und lauscht konzentriert den Baseballergebnissen.

»Willkommen im Erholungsort Flossenbürg« steht

auf einem Spruchband, das quer über die Straße gespannt ist. Touristen in roten Strümpfen und Kniebundhosen stapfen durch den Ort. Ein ganz kleines Schild weist auf die KZ-Gedenkstätte hin.

Ein fettes Kind läuft über die Straße. Meine Mutter hupt. Calvin sieht auf. Mir ist schlecht. »Yippie!« ruft er. Die New York Mets haben gewonnen. Wir lassen Flossenbürg hinter uns. Ich will zurück nach Amerika.

Meine Mutter hat detaillierte Pläne fürs Abendessen. »Ich möchte Calvin die Stadt zeigen«, sage ich. »Aber ich habe doch schon den Braten aufgetaut«, sagt sie. »Kaum bist du hier, willst du schon wieder weg.« Als wir gehen, sitzt sie in ihrem Dirndl vorm Fernseher. »Es ist nicht deine Schuld«, will ich ihr sagen, weil sie so traurig aussieht, aber ich denke, »es ist alles ihre Schuld.«

Ich schleppe Calvin zu den Imbißbuden und Diskotheken vor der Kaserne der Amerikaner. Blutjunge, schwarze GIs lungern auf der Straße herum, deutsche Mädchen flanieren kichernd vor ihnen auf und ab und wackeln mit dem Hintern. Die GIs rufen ihnen Obszönitäten hinterher. »Warum bringst du mich hierher? Damit ich mich für die amerikanische Armee schäme?« fragt Calvin. Nein, weil ich mich hier sicher vor den Deutschen fühle. Das sage ich ihm nicht. Ich sage: »Ich will dir nur zeigen, wo ich angefangen habe, von Amerika zu träumen; hier in den Diskotheken, sie haben ›Ship of Fools‹ gespielt, und ich war fünfzehn.« Es gibt sie fast alle noch, das ›Metropol‹, das ›Stardust‹, ›Moonlight‹ und ›Eden‹. Ich zeige ihm meinen Stammplatz in der hintersten Ecke mit Blick auf die Tanzfläche. Ich war ein Mauerblümchen, getanzt habe ich fast nie, nur zugeguckt. Calvin ist gerührt. Hinter uns knutschen zwei Mädchen mit zwei GIs. Sie erzählen sich auf deutsch, wie sie ihre Eroberungen finden. »Meiner küßt ganz naß, der schlabbert so richtig«, sagt die eine zur anderen. Sie wollen sich ausschütten vor Lachen. Verständnislos grinsend sehen ihnen die beiden Schwarzen zu. Sie trinken Weißbier. Ich stelle sie mir vor, wie sie in Coney Island mit ihren riesigen Radios auf der Schulter den Boardwalk entlangschlendern, ultracool. »Sind doch alles Idioten. Nur Idioten gehen zur Armee«, sagt Calvin. »Idioten, die nirgendwo sonst einen Job kriegen als bei der Armee«, erwidere ich und ärgere mich über ihn. »Ja, ja, sie sind alle sooo unterprivilegiert. Wenn sie wirklich wollten, könnten sie es auch schaffen«, sagt er scharf. »Weißt du, wie du jetzt klingst? Wie ein richtig beschissener Amerikaner.« »Und du wie eine sentimentale Deutsche. Solidarisier dich nur mit den armen unterdrückten Schwarzen Amerikas. Und mit den Indianern natürlich. Sonst hast du noch ein schlechtes Gewissen. Und das will ich nicht, daß du ein schlechtes Gewissen hast. Als Deutsche.« Ich fange an zu weinen. »Es tut mir leid«, sagt er, »jetzt hör schon auf zu heulen.«

In der Imbißbude nebenan essen wir ein Sandwich. Die dicke deutsche Bedienung in orthopädischen Schuhen fragt uns auf englisch, ob wir Mayonnaise oder Ketchup haben wollen. Ein paar schwarze GIs sitzen herum. Sie schlingen stumm und schnell riesige Portionen in sich hinein und starren auf den Fernseher. ›Dallas‹ auf deutsch. Die Wirtin beugt sich zu mir vor. »Meine eigene Tochter«, sagt sie. »Meine eigene Tochter. Mit so einem. Einsperren hätte ich sie sollen. Die deutsche Frau hat keinen Stolz mehr. Das war früher anders. Meine eigene Tochter. Nur noch Neger in der Armee. Und die wollen uns vor den Russen beschützen? Der Neger ist an und für sich hinterfotzig.« Sie deutet mit dem Kopf auf Calvin. »Da haben Sie Glück gehabt. Ein so gutaussehender Mann.«

Wir gehen. Die Stadt ist schwarz und still. Dabei ist es noch nicht einmal Mitternacht. In meinen Ohren saust noch der Straßenlärm von New York. Ich erzähle Calvin, was die Bedienung gesagt hat. »Das kannst du Wort für Wort genauso in Texas hören. Auch in New York. Von meinem Großvater. Der hängt auf, wenn die Telefonvermittlung eine schwarze Stimme hat«, sagt er. »Das ist etwas anderes«, sage ich. Er schweigt zwei Straßen lang. Dann sagt er: »Heute, auf unserem Ausflug, in dem kleinen Ort, wo das dicke Kind vor uns über die Straße gelaufen ist, da habe ich ein kleines Schild gesehen, da stand KZ drauf. Warum hast du mir das nicht gesagt?« »Ich habe mich nicht getraut«, sage ich, »es tut mir leid. Es tut mir alles so leid.« Wir biegen um eine Ecke, und plötzlich hängt der Vollmond über der Stadt. »Calvin?« sage ich und bleibe stehen,« Calvin, glaubst du, daß ich dich mehr liebe als du mich oder du mich mehr als ich dich?« Er antwortet nicht. Er küßt mich. Unsere Küsse schmecken irgendwie müde.

Meine Mutter ist im Sessel eingeschlafen. Sie sieht ganz klein und zerbrechlich aus. Das Dirndl hängt an ihr wie an einer Puppe. Sie schrickt auf. »Ich habe auf euch gewartet«, sagt sie und streicht die Schürze glatt.

»Aber Mama, das brauchst du doch nicht«, sage ich und merke, wie meine Stimme plötzlich ganz weich klingt. »Ach«, sagt sie, »es ist schön, auf jemanden warten zu können. Seit sechs Jahren habe ich ja dazu keine Gelegenheit mehr.«

Calvin gibt ihr einen Gutenachtkuß. Als wir zur Treppe gehen, hält sie mich zurück. Sie riecht nach ›Joy‹. Ihre dünnen Finger bohren sich in meinen Arm. »Ich habe euch gehört gestern nacht«, sagt sie leise, ganz leise. »Womit habe ich das verdient?« Im dunklen Flur sehe ich in ihren Augen Tränen glänzen.

Doris Dörrie im Diogenes Verlag

»Es ist vollkommen gleichgültig, ob Sie Doris Dörrie in der Badewanne, im Intercity-Großraumwagen, im Lehnstuhl oder in der Straßenbahn lesen, nur: Lesen Sie sie!« *Deutschlandfunk, Köln*

»Heute streiten sich die Feuilletonisten, ob sie besser Bücher schreiben kann oder besser Filme dreht. Die Antwort ist einfach: Doris Dörrie kann beides.«
Deutschland, Bonn

Liebe, Schmerz und das ganze verdammte Zeug
Vier Geschichten
Daraus die Geschichte *Männer* auch als Diogenes Hörbuch erschienen, gelesen von Anna König

»Was wollen Sie von mir?«
Erzählungen. Mit Fotos von Helge Weindler

Der Mann meiner Träume
Erzählung
Auch als Diogenes Hörbuch erschienen, gelesen von Heike Makatsch

Für immer und ewig
Eine Art Reigen

Bin ich schön?
Erzählungen

Samsara
Erzählungen

Was machen wir jetzt?
Roman

Happy
Ein Drama

Das blaue Kleid
Roman

Mitten ins Herz
und andere Geschichten. Ausgewählt von Daniel Keel. Mit einem Nachwort der Autorin

Und was wird aus mir?
Roman
Auch als Diogenes Hörbuch erschienen, gelesen von Doris Dörrie

Kirschblüten – Hanami
Ein Filmbuch

Alles inklusive
Roman
Auch als Diogenes Hörbuch erschienen, gelesen von Maria Schrader, Petra Zieser, Maren Kroymann und Pierre Sanoussi-Bliss

Diebe und Vampire
Roman
Auch als Diogenes Hörbuch erschienen, gelesen von Doris Dörrie

Kinderbücher:

Mimi
Mit Bildern von Julia Kaergel

Mimi und Mozart
Mit Bildern von Julia Kaergel

Viktorija Tokarjewa im Diogenes Verlag

Viktorija Tokarjewa, geboren 1937 in Leningrad, studierte nach kurzer Zeit als Musikpädagogin an der Moskauer Filmhochschule das Drehbuchfach. 15 Filme sind nach ihren Drehbüchern entstanden. 1964 veröffentlichte sie ihre erste Erzählung und widmete sich ab da ganz der Literatur. Sie lebt heute in Moskau.

»Viktorija Tokarjewas Erzählungen sind durchdrungen von trockenem Witz und warmem Humor, distanziert und engagiert zugleich.«
Wolfgang Koydl / Süddeutsche Zeitung, München

»Die Tokarjewa kennt das Leben. Und sie schreibt darüber. Unausweichlich. Mit Kraft, Genauigkeit, Schmerz und Witz.« *Emma, Köln*

»Viktorija Tokarjewa schreibt wie die Transsibirische Eisenbahn auf Ecstasy – mit Volldampf in die herrliche Katastrophe.« *Doris Dörrie*

Mara
Erzählung. Aus dem Russischen von Angelika Schneider

Happy-End
Erzählung. Deutsch von Angelika Schneider

Lebenskünstler
und andere Erzählungen. Deutsch von Ingrid Gloede

Glücksvogel
Roman. Deutsch von Angelika Schneider

Liebesterror
und andere Erzählungen. Deutsch von Angelika Schneider

Der Baum auf dem Dach
Roman. Deutsch von Angelika Schneider

Alle meine Feinde
und andere Erzählungen. Deutsch von Angelika Schneider

Leise Musik hinter der Wand
Roman. Deutsch von Angelika Schneider

Eine von vielen
Roman. Deutsch von Angelika Schneider